# 生涯與職能發展學習手冊

作者◎許雅惠、杜惠英

麗文文化事業

■ 國家圖書館出版品預行編目(CIP)資料

生涯與職能發展學習手冊 / 許雅惠，杜惠英著. -- 初版. -- 高雄市 : 麗文文化，2018.09
面 ； 公分
ISBN 978-986-490-133-3(平裝)

1.生涯規劃 2.職業輔導

192.1 107013999

# 生涯與職能發展學習手冊

初版一刷・2018 年 9 月　初版九刷・2022 年 9 月

| | |
|---|---|
| 作者 | 許雅惠、杜惠英 |
| 責任編輯 | 林瑜璇 |
| 發行人 | 楊曉祺 |
| 總編輯 | 蔡國彬 |
| 出版者 | 麗文文化事業股份有限公司 |
| 地址 | 802019高雄市苓雅區五福一路57號2樓之2 |
| 電話 | 07-2265267 |
| 傳真 | 07-2264697 |
| 網址 | www.liwen.com.tw |
| 電子信箱 | liwen@liwen.com.tw |
| 劃撥帳號 | 41423894 |
| 臺北分公司 | 100003臺北市中正區重慶南路一段57號10樓之12 |
| 電話 | 02-29222396 |
| 傳真 | 02-29220464 |
| 法律顧問 | 林廷隆律師 |
| 電話 | 02-29658212 |

行政院新聞局出版事業登記證局版台業字第5692號

ISBN 978-986-490-133-3（平裝）

麗文文化事業

定價：180元

# 序

每個人都是在發展中塑造自己，找到自己，定位自己，改變自己，更多瞭解自己，直到有一個成熟的自己。人生要學習的事何等的多，在大學專業培育的教育訓練階段，預備自己有能力進入社會，是生涯的關鍵時刻。

生涯與職能發展這一課程，在僑光科技大學列為通識必修課程，因為我們相信有預備和沒有預備差很多，有規劃和沒有規劃也為生活日常帶來很大的不同。

只是，生涯規劃這個大家已經熟悉又好像不太有把握的概念，從過去到現今已有許多重大的改變，我們對生涯規劃的主體支配的假設及環境資源，人力需求的理解，都必須有新的想法。用興趣決定生涯，是很多人對工作選擇的最主要看法；但用產業發展來定位自己的學習，是另一種取向。但這兩種也都好像年輕人是可以自己決定的。真實的就業職場上，有多少人是自己決定自己的工作內容方式及專業？有多少人是去適應環境的需要？我們關心學生如何回應自己的職涯與生活。

這門課，我們建議一個應該有的想法：是邀請學生從「發展」的觀點，來理解如何預備自己，讓自己具有不斷能成長的特質與能力。人，並不是用一種既有的狀態，不變的前行；在職場中專業知識不斷更新，人際關係互動，生涯角色也不斷改變，「發展」的意義就是：確知自己有學習與成長的責任。

這本學習手冊是課程輔助之用，教學單元分為七大編：共有生涯意識與覺察，如何預備自己，從個人到社會，就業實況認識，如何進行生涯管理，如何進行生涯選擇，如何進行就業預備等。各個單元，我們參考許多生涯發展主題研究者既有的量表，也引用學術理論發展出學習單、活動單、自我評估表等。量表及學習單的設計提供是手冊的主要內容，目的在幫助學生：在學習上，不單單是對教學主題有知識上的學習，更對自己的真實生涯認知、發展狀況、能力及技能預備方面，有清楚的指引。

當我們鼓勵學生們用心看待自己的學習手冊，一旦仔細配合課程教學單完成，學生對自己的認識、對職涯發展的課題、四年大學生活應如何應用安排來發展自己，會有更清楚的做法與動力。

這本手冊，還有另一個用心，就是對於課程的學習者如何得到知識內化，產生學習遷移，我們有更多的安排。也重視教學活動的設計，不以講授為主要方式，而是透過講授與學習引導的設計，來活化教與學。學生在學習過程中會學習參與在個別式學習、小組式學習、團體學習等方式來進行，將有助於認識生涯與職能發展中的關係能力與共學參照的能力，對自己的發展力也有關鍵的作用。

**許雅惠／杜惠英**

於僑光科技大學通識教育中心

創造力與終身學習研究室

# 目　錄


## 第1編　生涯覺察　001

**A　生涯想像　002**

1-A-1　生涯想像　002

1-A-2　生涯想像心智圖　004

**B　PDP 個人發展計畫　006**

1-B-1　個人發展計畫：我需要 PDP 嗎？　006

**C　生涯階段　008**

1-C-1　從自己的人生故事開始：生命歷程故事　008

## 第2編　預備自己　009

**A　認識自己　010**

2-A-1　自我概念來源　010

2-A-2　投射練習　011

2-A-3　周哈里窗（Johari Window）演練　012

2-A-4　職業性向與人格類型的配合程度量表　014

**B　人格特質　017**

2-B-1　HOLLAND 何倫生涯興趣及人格類型　017

2-B-2　MBTI 性格測驗　019

2-B-3　人格九型　024

**C　價值與選擇　026**

2-C-1　澄清個人的生涯價值觀　026

2-C-2　工作價值觀檢核　029

**D　就業能力評估　032**

2-D-1　多元智能檢核　032

## 第 3 編　從個人到社會 035

**A　生涯阻隔 036**

3-A-1　生涯發展阻隔 036

**B　自我效能 038**

3-B-1　自我效能檢核 038

**C　生涯角色 039**

3-C-1　生涯彩虹白版 039

3-C-2　生涯角色比重 039

## 第 4 編　認識就業實況 041

**A　全球化現象與產業趨勢 042**

4-A-1　行業別與職業別 042

4-A-2　影響未來產業發展關鍵課題 043

**B　青年就業課題 045**

4-B-1　認識就業市場 045

4-B-2　臺灣青年高失業率 047

**C　時代青年特性 048**

4-C-1　斜槓青年是什麼？你想當嗎？ 048

4-C-2　斜槓青年檢核 050

## 第 5 編　生涯管理 053

**A　時間管理 054**

5-A-1　時間管理：瞭解你的時間管理 054

**B　目標管理 057**

5-B-1　個人目標管理練習 057

**C 關係管理** **060**
5-C-1 人際互動風格 060
5-C-2 領導力評估 063
**D 情緒管理** **065**
5-D-1 EQ 情緒管理 065
**E 態度管理** **070**
5-E-1 日常行為檢核 070

**第 6 編 生涯抉擇** **073**
**A 生涯選擇工具與方法** **074**
6-A-1 職涯導航 UCAN 的應用 074
**B 職業與生活** **076**
6-B-1 對於一項職業，我該知道什麼？ 076
**C 職業實況評估** **077**
6-C-1 職業訪談作業 077

**第 7 編 就業預備與行動** **079**
**A 履歷** **080**
7-A-1 履歷模擬及健診 080
**B 面試** **083**
7-B-1 面試預備習作單 083
**C 企業招募考量** **090**
7-C-1 企業招募員工優先考量 090

# 第1編　生涯覺察

# A 生涯想像

## 1-A-1 生涯想像

### 一、教學活動指導

1. 想像一張電影海報，你是主角。
2. 時間是 _____ 年 _____ 月 _____ 日（星期二）下午 2：30。
3. 這個時間點的螢光幕下，你正在哪裡？正在做些什麼？獨自一人或跟誰在一起？你的心情如何？
4. 先請以下方空白（用畫圖的方式）手繪一張 DM ，畫出以你為主的一張海報。包括相關人物／場景／事情……。
5. 畫完後：簡要標示出人物／所做的事／場景。

## 二、分組討論

1. 3-4 人一組。
2. 分享為什麼畫這幅圖？
3. 自由分享「大家來找碴」：

   輪流針對每個人所畫的圖，詢問任何時間上、年齡上、活動內容及前提有關的疑問。例如：

   (1) 幾歲了做什麼事情有合理性嗎？

   (2) 與誰在一起？為什麼可能？

   (3) 所正在做的什麼事，所需要的前提或相關條件是什麼？

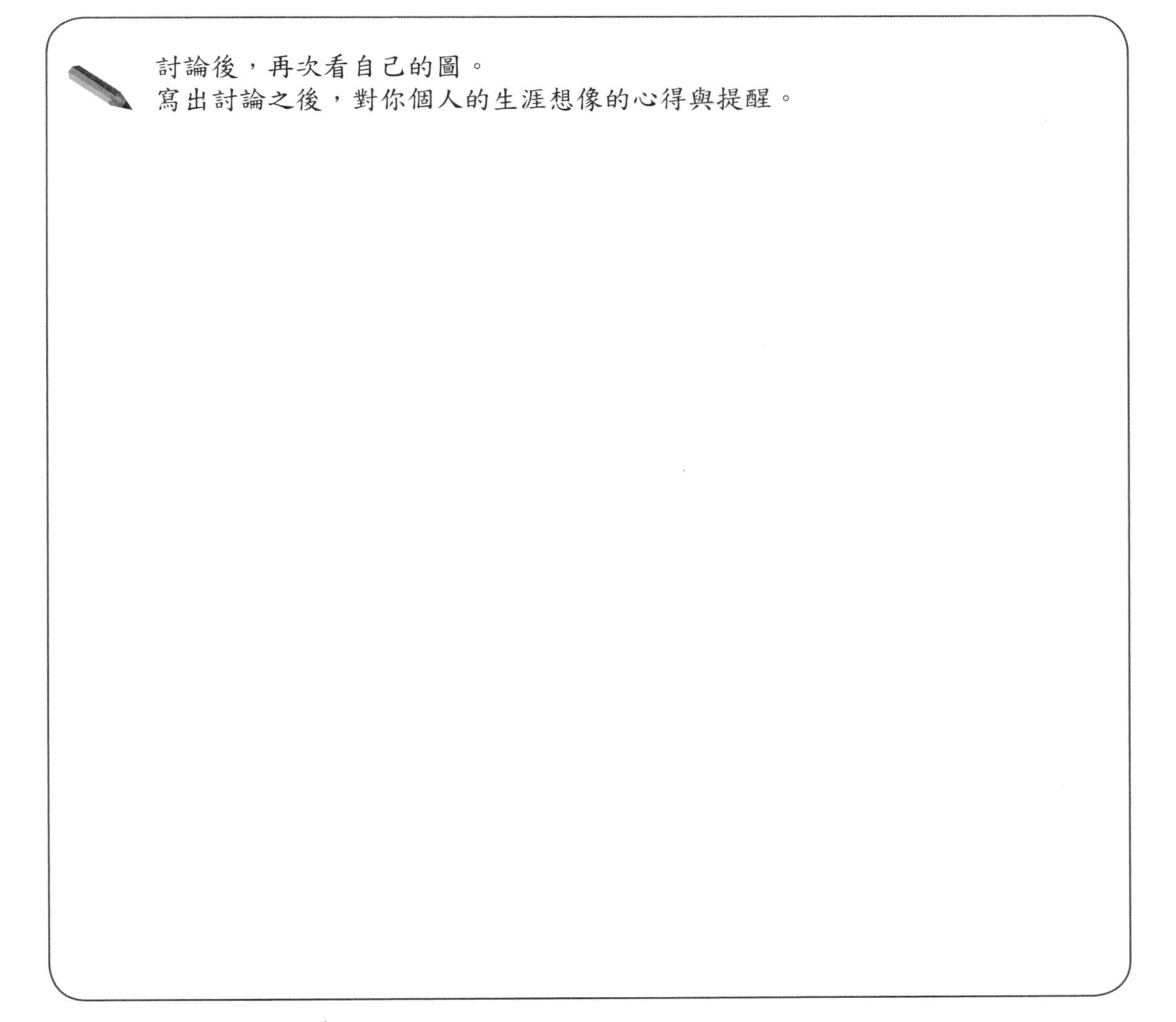


本單元學習單設計：許雅惠

## 1-A-2 生涯想像心智圖

**說明：**

將文字想像化為圖像，抽象的未來目標與路徑變得清晰可見。

1. 紙張橫放，從紙張中央向四周展開，繪製心智圖。
2. 四色以上原子筆或色鉛筆增加美工效果，表達不同類別概念的感受性。
3. 線條彼此連接一起，提升心智圖整體感。
4. 與中心主題連接的主幹線條是由粗而細、弧度錐形樣式，下一階以後的支幹線條則採細一點的錐形樣式或直接用細線呈現。

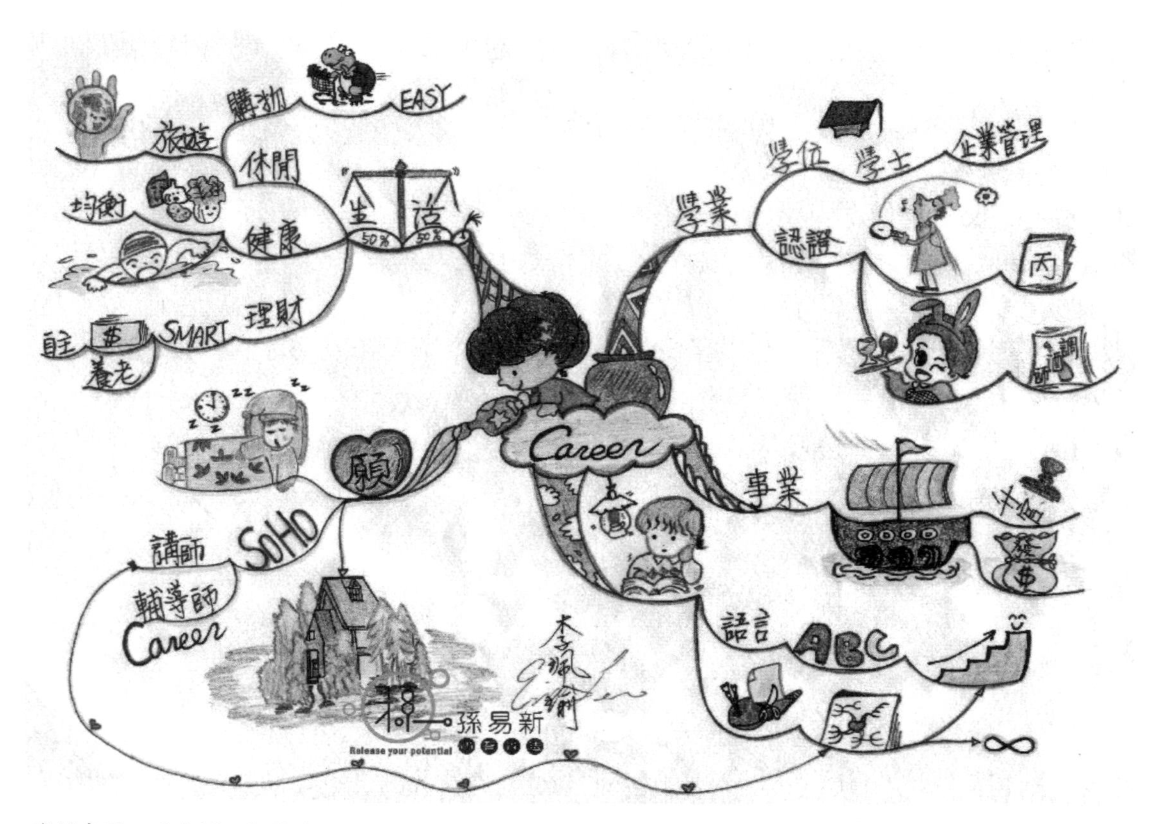


資料來源：孫易新心智圖法。

**作業：**

透過色彩、線條、形狀找回純真的塗鴉初心，大膽、勇敢、真實創作你 30 歲或 40 歲或 50 歲的生涯想像心智圖，讓美麗的未來深刻印入腦海。

# B PDP 個人發展計畫

## 1-B-1 個人發展計畫：我需要 PDP 嗎？

**說明：**

1. PDP（個人發展計畫）是指每個人為自己量身訂作的發展目標與策略，在時間中持續，並定期檢討這個計畫的效能，把它當成一件重要的事情來完成。
2. 每個人或多或少都有個人的發展計畫，但有些人的模模糊糊，有些人的清清楚楚。
3. 研究告訴我們：有目標、有計畫的人更容易獲得自己想達成的狀態。
4. 請依照自己實際狀況回答下列問題。

   5 ＝非常同意　4 ＝同意　3 ＝部分同意　2 ＝不同意　1 ＝非常不同意

| 題　　目 | 得　　分 |
|---|---|
| 1. 我可以確定自己在未來這幾年內，將努力拿到學位。 | |
| 2. 我很清楚自己未來七年的目標。 | |
| 3. 我相信自己已經充分計畫好，該如何達成自己的目標。 | |
| 4. 我很清楚我的學位將有助於個人的生涯規劃。 | |
| 5. 我很清楚雇主對員工所需技能的要求。 | |
| 6. 我相信自己具備雇主對員工所要求的技能。 | |
| 7. 我非常瞭解自我省思在職業生涯中的重要性。 | |
| 8. 我相信，即使缺乏指導，自己也可以進行有規劃性的檢討。 | |
| 9. 我相信自己可以培養出適應各種環境的方法。 | |
| 10. 我相信自己可以擬定完善的目標。 | |
| 11. 我知道該如何評估自己的表現。 | |
| 12. 我相信自己知道該如何在不同的環境中，改進自己的表現。 | |
| 13. 我知道如何將自己的專長，運用在不同的領域中。 | |
| 14. 我相信，我對自我的認知，與別人眼中的我是一致的。 | |
| 15. 我相信自己具備很好的傾聽技巧。 | |

| 題　　目 | 得　　分 |
|---|---|
| 16. 我是一個有魄力的人。 | |
| 17. 我是一個做事主動的人。 | |
| 18. 我知道自己在團體中所扮演的角色。 | |
| 19. 我相信自己解決問題的能力。 | |
| 20. 我可以將自己的心智發揮至最大的功效。 | |
| 21. 我能採用創造性的方法，來解決大部分的問題。 | |
| 22. 我相信自己可以做好求職的準備。 | |
| 23. 我一直都很清楚自己正在學習的技能。 | |
| 24. 我知道該如何將自己的技能，靈活地運用在各種情境下。 | |
| 25. 我瞭解自己發展的極限在哪裡。 | |
| **總分** | |

**測驗後說明：**

這測驗讓你瞭解個人發展的需求何在。如果你某項目分數為零，這些項目就是你需要的 PDP。或是你 25 題總得分的分數偏低，那表示你需要好好思考某些或特定的個人發展訓練；你的分數愈高，表示或許現在的你暫時不需要這些訓練，但日後當你所處的環境改變時，可就需要它了。

資料來源：許雅惠（主編）（2012）。**生涯與職能發展—自我評估與量表手冊**。臺北：寂天出版社。

# C 生涯階段

## 1-C-1 從自己的人生故事開始：生命歷程故事

**說明：**

1. 自覺，是進步的開始。希望你能仔細地檢視自己，瞭解自己的哪些特質可以幫助你達成目標。
2. 從蒐集生命中的一些重要事件，並嘗試完整地將它記錄，它可以幫助你整理你的思緒，也能讓你釐清一些想法。再給自己幾天的時間沉澱，繼續省思自己的生命故事。
3. 按時序寫下生命故事的大事紀。
   (1) 對我的主要影響。
   (2) 當時的感覺。
   - 寫出每個事件發生的時間（大略的日期或年份就可以）。想想這些事件對你有什麼影響？是正面的？負面的？還是沒有任何影響？你可以將這個影響寫在事件的旁邊，或以顏色符號來表示（如，＋表示正面影響，－表示負面影響，△表示沒有影響）。

   (3) 在每個事件旁簡短地寫下註解、事件的經過、當時的感覺，和現在回想的感覺。是否有哪些至今仍影響著你的生活或表現？如果有，把它們標示出來。

**省思自己的生命故事：**

| 年齡 | 重大事件 | 記憶的意義／對自己的影響 |
|---|---|---|
| | | |
| | | |
| | | |
| | | |
| | | |

資料來源：許雅惠（主編）（2012）。**生涯與職能發展—自我評估與量表手冊**。臺北：寂天出版社。

# 第2編　預備自己

# A 認識自己

## 2-A-1 自我概念來源

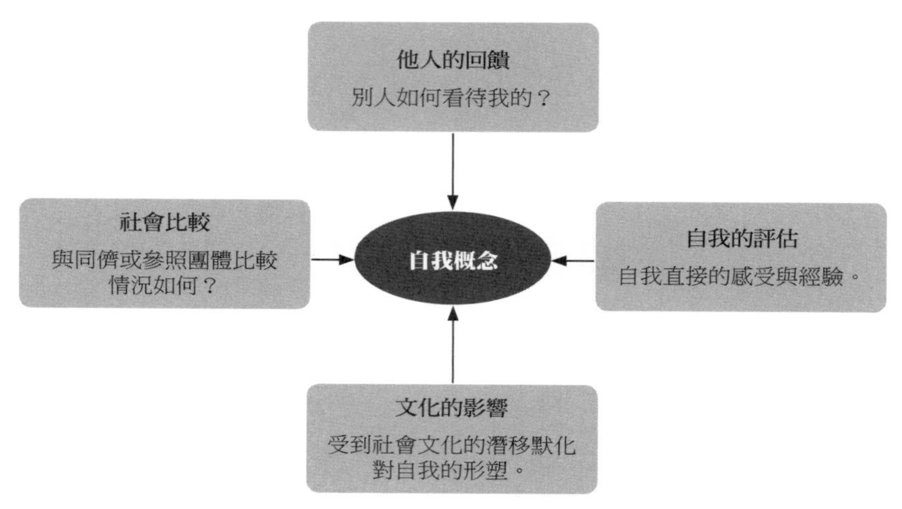


圖 1　自我概念的來源

資料來源：陳皎眉（2004）。**人際關係與人際溝通**（50 頁）。臺北：雙葉。

**他人回饋：**

1. 詢問同學哪兩個字眼最能形容你這個人？
2. 你最值得稱讚的特質是什麼？

**自我評估：**

1. 我對自己最感到自豪的地方？
2. 我這一生最想達成的三件事情，是什麼？

**社會比較：**

1. 你擅長什麼事情？
2. 誰是你所認識的人當中最厲害的？為什麼他最厲害？

**文化影響：**

1. 你喜歡上大學嗎？□ 是 □ 否，請簡短說明。
2. 成長至今，你學到最寶貴的功課是什麼？

# 2-A-2 投射練習

**說明：**

1. 精神分析學家佛洛依德認為投射是個體「自我」對抗「超我」時，所採用的一種防衛方式。將自己的性格、態度、動機或慾望，投射到他人或他物身上。
2. 完成自由聯想投射練習後，請教師解說各題象徵訊息。

**認識自己投射練習：**

如果要用一朵花形容你，那會是什麼樣的花？你又會幫它取什麼名字呢？

1. 種這朵花的人長什麼樣子？

2. 未來一週，這朵花的生長曲線會是怎麼樣？

3. 這朵花會引來哪些動物或昆蟲呢？數量多還是少？

4. 如果你發現花上有一隻害蟲正在啃噬花朵，你該怎麼辦？

5. 這朵花的附近，如果有另一朵漂亮的花出現，你的態度為何？

6. 你的花最後枯萎了，你覺得可能是什麼原因？你會採取什麼行動呢？

資料來源：靜宜大學諮商輔導中心（2008）。認識自我 心理小測驗。**靜宜大學知音電子報，24**。

## 2-A-3 周哈里窗（Johari Window）演練

**說明：**

1. 從與他人互動中，增進自我認識與自我瞭解，發現自我生命本質。
2. 於小組內輪流傳遞他人的「周哈里窗」。每個人皆在表格內，填下自己所看見他人的特點或優點。
3. 針對每個人寫下的「特點及未來可能的發展性」，小組內互相分享並給予回饋。例如：「聲音好聽」特點，除了「適合做廣播」，還可以給予其他建議，比如：當歌星、配音、演講……等等。

| | 自己知道 | 自己未知 |
|---|---|---|
| 他人知道 | 開放我 | 盲目我 |
| 他人未知 | 隱藏我 | 未知我 |

________________（填上姓名）的周哈里窗

**開放我**

特點：

未來可能的發展性：

**盲目我**

特點：

未來可能的發展性：

**隱藏我**

特點：

未來可能的發展性：

**未知我**

特點：

未來可能的發展性：

## 2-A-4 職業性向與人格類型的配合程度量表

本量表有助於澄清：你的人格特質是什麼？什麼性質的工作會使你如魚得水？開始動手做做看吧！

**步驟 I：請依據下列 20 個描述符合你的情形，在適當的欄位勾選。**

| 請依據下列敘述符合你的情形做選擇 | 完全不符 | 不太符合 | 有時相符 | 大致符合 | 完全符合 | 向度計分 |
|---|---|---|---|---|---|---|
| | 0 | 1 | 2 | 3 | 4 | |
| 1. 對自己及他人都設定高標準。 | | | | | | C |
| 2. 喜歡將東西收拾整齊。 | | | | | | |
| 3. 深思熟慮，很少「不管三七二十一，做做看再說」。 | | | | | | |
| 4. 今日事今日畢。 | | | | | | |
| 5. 對於別人的想法，常表明願意接受的態度。 | | | | | | A |
| 6. 喜歡幫助別人。 | | | | | | |
| 7. 會同情流浪漢。 | | | | | | |
| 8. 信賴他人。 | | | | | | |
| 9. 會擔心很多事。 | | | | | | N |
| 10. 覺得生活缺乏方向。 | | | | | | |
| 11. 容易受慾望誘惑。 | | | | | | |
| 12. 行為易受情緒影響。 | | | | | | |
| 13. 有鮮活的想像力。 | | | | | | O |
| 14. 喜歡藝術。 | | | | | | |
| 15. 做事喜歡按自己的方式，不會被傳統束縛。 | | | | | | |
| 16. 喜歡嘗試新事物，接受新挑戰。 | | | | | | |
| 17. 在聚會中喜歡與各類的人交談。 | | | | | | E |
| 18. 嘗試領導他人。 | | | | | | |
| 19. 喜歡成為被注意的焦點。 | | | | | | |
| 20. 在空檔時會安排很多事。 | | | | | | |
| | 0 | 1 | 2 | 3 | 4 | |

**步驟 II：向度計分**

1. 依「完全符合」：4 分、「大致符合」：3 分、「有時相符」：2 分、「不太符合」：1 分、「完全不符」：0 分。
2. 每四題得分加總，將得分填於上表「向度計分」的欄位。

### 步驟 III：分數轉換

依下表將「向度總分」對換「轉換值」。

例如：若向度 C 總分為 11 分，則在其「＝」後的（　）內填上 3。

| 向度總分 | 0-5 分 | 6-8 分 | 9-11 分 | 12-16 分 |
|---|---|---|---|---|
| 轉換值 | 1 | 2 | 3 | 4 |

向度 C 轉換值＝（　）　向度 A 轉換值＝（　）　向度 N 轉換值＝（　）

向度 O 轉換值＝（　）　向度 E 轉換值＝（　）

### 步驟 IV：「工作速配指數」計算

將各向度轉換值填於對應的□內，按公式計算填於（　）內，再乘以各類型的權數，即得工作速配指數。

|  |  | 工作速配指數 |
|---|---|---|
| 社會型： | 5 ＋ □(A) −□(N) ＋ □(E) ＝(　　)→ ×20＝ | |
| 藝術型： | 10 −□(C) −□(A) ＋□(N) ＋□(O) ＋□(E) ＝(　　)→ ×12＝ | |
| 企業型： | 5 ＋□(C) −□(A) ＋ □(E) ＝(　　)→ ×20＝ | |
| 研究型： | 10 −□(C) ＋ □(O) −□(E) ＝(　　)→ ×20＝ | |
| 事務型： | 10 ＋□(C) ＋□(A) − □(O) −□(E) ＝(　　)→ ×15＝ | |
| 實用型： | 10 − □(A) − □(O) ＝(　　)→ ×30＝ | |

### 步驟 V：個人解釋報告

一、**你的人格特質：**圈選各向度的**原始總分**。分數愈靠近兩端者，表你的個性愈符合該端的描述。

| | | | | | | | | | | | | | | | | | | | | |
|---|---|---|---|---|---|---|---|---|---|---|---|---|---|---|---|---|---|---|---|---|
| 行動導向、享樂主義、重視此時此刻的感受 | C | 0 | 1 | 2 | 3 | 4 | 5 | 6 | 7 | **8** | 9 | 10 | 11 | 12 | 13 | 14 | 15 | 16 | C | 深思熟慮、自我紀律、成就需求、勤勉負責 |
| 強調自我主張、不妥協、多疑、批判性高 | A | 0 | 1 | 2 | 3 | 4 | 5 | 6 | 7 | **8** | 9 | 10 | 11 | 12 | 13 | 14 | 15 | 16 | A | 重視人際和諧、信賴他人、體恤友善、樂於助人 |
| 情緒穩定、理性導向 | N | 0 | 1 | 2 | 3 | 4 | 5 | 6 | 7 | **8** | 9 | 10 | 11 | 12 | 13 | 14 | 15 | 16 | N | 感受敏銳、情緒導向 |
| 務實、傳統保守、抗拒改變、不喜模稜兩可 | O | 0 | 1 | 2 | 3 | 4 | 5 | 6 | 7 | **8** | 9 | 10 | 11 | 12 | 13 | 14 | 15 | 16 | O | 思想創新、接受多元思維、鑑賞藝術、求新求變 |
| 內向害羞、喜歡獨處、沉默安靜 | E | 0 | 1 | 2 | 3 | 4 | 5 | 6 | 7 | **8** | 9 | 10 | 11 | 12 | 13 | 14 | 15 | 16 | E | 活潑外向、喜愛群體、活力充沛 |

二、 你適合的工作：將**工作速配指數**登錄於每項工作前的□內。

工作速配指數愈高，表愈適合該類工作；可選擇分數較高的一、二類工作，做為職業選擇時的考量。

| 工作速配指數 | |
|---|---|
| | **社會性質的工作：**是運用良好的人際關係與溝通技巧，以期能瞭解、分析他人並進而達到訓練或改變他人的工作，教師、輔導員、觀護人、護士、社工員、諮商員、宗教人士、理財顧問、房地產仲介、壽險顧問等均屬於此類的工作。 |
| | **藝術性質的工作：**是藉由文字、動作、聲音、色彩、形式等來傳達美、思想及感受，演員、編劇、作曲／音樂家、舞蹈者、文字創作、室內／家具／景觀／舞臺／櫥窗等設計工作、攝影師、建築師等均屬於此類的工作。 |
| | **企業性質的工作：**是運用規劃、領導及口語能力，組織、安排、計畫事物，銷售、督導、策劃、領導等是這一類工作常見的活動，常見的工作有業務／銷售人員、行銷、企劃、經理人員、企業管理、活動策劃者、採購人員、銀行金融等。 |
| | **研究性質的工作：**是運用智力或分析能力去觀察、評量、判斷、推理及解決問題，喜歡與符號、概念、文字有關之工作，從事如生物、物理、化學、公共衛生、醫學、市場經濟、調查研究或品質管制等研究工作。 |
| | **事務性質的工作：**是需要注意細節及事務技能，通常不是決策人員，而是執行人員，屬於這一類的工作像是祕書、助理、財會人員、電腦操作、稅務人員、成本估算師、圖書管理員等。 |
| | **實用性質的工作：**是屬於客觀、具體、清楚、實在及體力上的技術性工作，如操弄工具、機械、物品或養育動物等性質的工作，常見屬於此類型的工作有農業工作者、汽車修護員、機械／電器工程師、工業設計、儀器製造、飛機控制員等。 |

資料來源：104 人力銀行（2007 年 11 月 3 日）。取自 www.104.com.tw

# B 人格特質

## 2-B-1 HOLLAND 何倫生涯興趣及人格類型

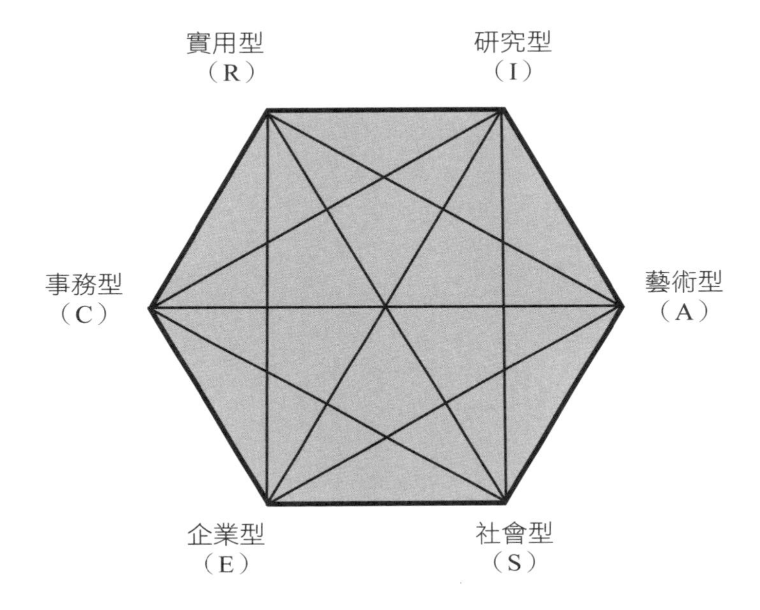


Holland 的六角形人格類型及興趣模式

**說明：**

1. 從人格特質檢核表中勾選符合項目（可複選），並分別算出六個類型的分數（勾選一項為 1 分）：

   R（R1 ＋ R2 ＋ R3） ＝ ______

   I （I1 ＋ I2 ＋ I3） ＝ ______

   A（A1 ＋ A2 ＋ A3）＝ ______

   S （S1 ＋ S2 ＋ S3） ＝ ______

   E （E1 ＋ E2 ＋ E3） ＝ ______

   C （C1 ＋ C2 ＋ C3） ＝ ______

2. 寫出前三高類型碼（　　　　　　）。

## 人格特質檢核表（我是……形容詞檢核表）

☐ 具優越的
☐ 合作的
☐ 耐心的
☐ 友善的
☐ 慷慨的
S1 ________

☐ 喜複雜事物的
☐ 善分析的
☐ 謹慎的
☐ 善批評的
☐ 好奇的
I1 ________

☐ 難理解的
☐ 沒秩序的
☐ 情緒化
☐ 善表達的
☐ 理想化的
A1 ________

☐ 直覺的
☐ 有主見的
☐ 富創意的
☐ 敏感的
☐ 開放的
A2 ________

☐ 助人的
☐ 理想化的
☐ 仁慈的
☐ 具說服力的
☐ 能站在別人立場的
S2 ________

☐ 獨立的
☐ 有知性的
☐ 自我反省的
☐ 悲觀的
☐ 精確的
I2 ________

☐ 理性的
☐ 含蓄的
☐ 保守的
☐ 謙虛的
☐ 不太受歡迎的
I3 ________

☐ 具想像力的
☐ 不切實際的
☐ 衝動的
☐ 獨立的
☐ 自我反省的
A3 ________

☐ 負責任的
☐ 善交際的
☐ 機智的
☐ 善解人意的
☐ 令人感到溫暖的
S3 ________

☐ 不善社交的
☐ 順從的
☐ 坦承的
☐ 真實的
☐ 死板的
R1 ________

☐ 重利慾的
☐ 好冒險的
☐ 易討人喜歡的
☐ 具雄心大志的
☐ 支配心強的
E1 ________

☐ 小心的
☐ 順從的
☐ 正直的
☐ 守成的
☐ 有效率的
C1 ________

☐ 固執的
☐ 拘謹的
☐ 有規則的
☐ 服從的
☐ 有秩序的
C2 ________

☐ 重物質的
☐ 不做作的
☐ 普通的
☐ 有恆心的
☐ 重實際的
R2 ________

☐ 精力充沛的
☐ 愛表現的
☐ 追求刺激的
☐ 衝動的
☐ 外向的
E2 ________

☐ 不愛出風頭的
☐ 頑固的
☐ 簡樸的
☐ 洞察力差的
☐ 善為旁觀者的
R3 ________

☐ 有恆心的
☐ 重實際的
☐ 過分謙虛的
☐ 簡樸的
☐ 缺乏想像力
C3 ________

☐ 重氣氛、情調的
☐ 樂觀的
☐ 有自信的
☐ 善交際的
☐ 善說話的
E3 ________

**生涯興趣與人格預測：**

列出日常生活中最喜歡做的事情三件，分析此三件事分屬於哪些類型，並與 Holland 六角形興趣模式做比對，檢視自己的人格類型。

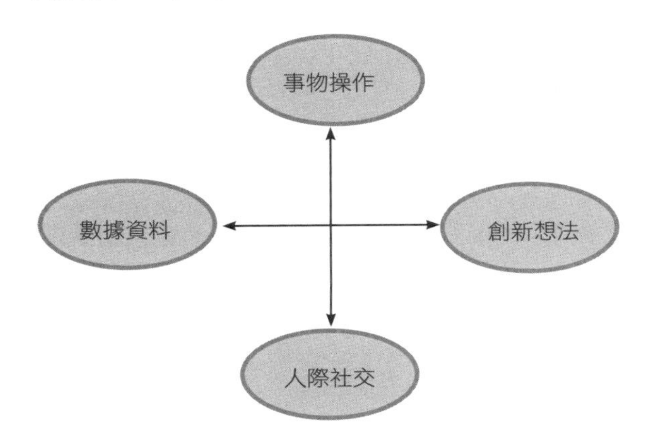


## 2-B-2 MBTI 性格測驗

**說明：**

1. 理論源自瑞士心理動力大師榮格（Carl Jung）的性格類型分析。
   內／外向、直覺／官覺、理性／感性、開放／果斷
   I E N S T F P J

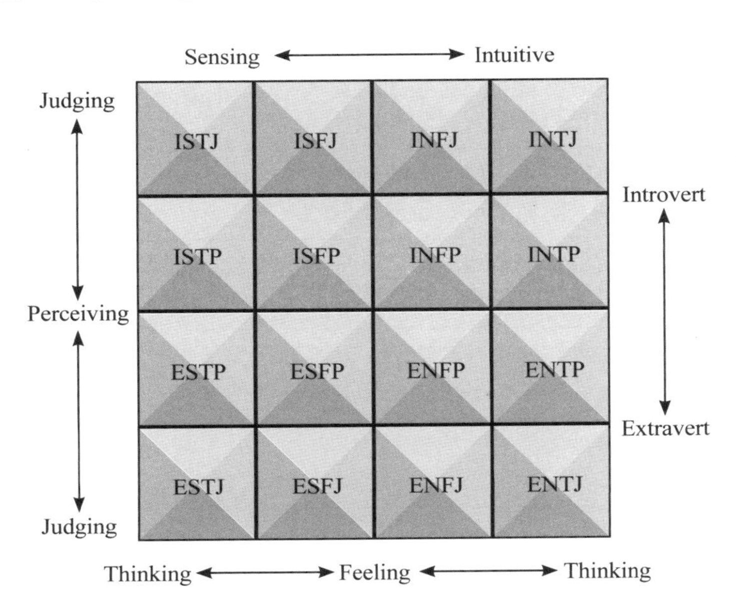

**性格測驗（MBTI）：**

在每題 a、b 選擇方格中自評給分，a ＋ b 評分的總和為 5 分。

評分規準：0 ＝從不　1 ＝很少　2 ＝有時候　3 ＝常常　4 ＝極多　5 ＝總是

| | | |
|---|---|---|
| **1.** | _____a<br>_____b | 我會先瞭解別人的想法，再下決定。<br>我不和別人商量，就下決定。 |
| **2.** | _____a<br>_____b | 我是一個富於想像或憑直覺的人。<br>我是一個講求精確，講求事實的人。 |
| **3.** | _____a<br>_____b | 我會根據現有資料及情境的分析，對他人做評斷。<br>我會先瞭解他人的需要及價值觀，才對他人做評斷。 |
| **4.** | _____a<br>_____b | 我會順著他人的意思做出承諾。<br>我會自己做承諾，並確實加以實踐。 |
| **5.** | _____a<br>_____b | 我要有安靜、獨自思考的時間。<br>我喜歡與他人打成一片。 |
| **6.** | _____a<br>_____b | 我會運用我熟悉的好方法來完成工作。<br>我會嘗試運用新的方法來完成工作。 |
| **7.** | _____a<br>_____b | 我會以合乎邏輯思考及按部就班的分析得到結論。<br>我會根據過去生活的體驗及訊息來得到結論。 |
| **8.** | _____a<br>_____b | 我會訂下完成工作的最後期限。<br>我會擬訂時間表，並嚴格遵行。 |
| **9.** | _____a<br>_____b | 我會與人稍談笑話題後，再自我思考一番。<br>我會和他人盡興暢談某事後，再自我思考一番。 |
| **10.** | _____a<br>_____b | 我會設想各種可能發生的情況。<br>我只按實際的情況處理問題。 |
| **11.** | _____a<br>_____b | 我認為自己是一個擅長於思考的人。<br>我被別人認為是一個敏於感覺的人。 |
| **12.** | _____a<br>_____b | 我會事前詳細考慮各種可能性，事後反覆思考。<br>我會蒐集需要的資料，稍後考慮後，做出明快決定。 |
| **13.** | _____a<br>_____b | 我擁有內在的思想和情感，而不為他人所知。<br>我會與他人共同分享某些活動或事件。 |
| **14.** | _____a<br>_____b | 我喜歡抽象與理論的事。<br>我喜歡具體與實際的事。 |
| **15.** | _____a<br>_____b | 我會協助別人探索他們自己的感受。<br>我會協助別人做出合理的決定。 |

| | | |
|---|---|---|
| 16. | ______a<br>______b | 我對問題的答案保持彈性，且可修改。<br>我對問題的答案是明確的、可預知的。 |
| 17. | ______a<br>______b | 我很少表達自己內心的想法及感受。<br>我很自在表達自己內心的想法及感受。 |
| 18. | ______a<br>______b | 我傾向從大處著眼。<br>我喜歡從小處著手。 |
| 19. | ______a<br>______b | 我慣於運用常識，憑著信念來做決定。<br>我善於運用資料分析事實來做決定。 |
| 20. | ______a<br>______b | 我會事先詳細計畫。<br>我會臨時視需要而做計畫。 |
| 21. | ______a<br>______b | 我喜歡結交新朋友。<br>我喜歡獨處或與熟識者交往。 |
| 22. | ______a<br>______b | 我重視概念。<br>我重視事實。 |
| 23. | ______a<br>______b | 我相信自己的想法。<br>我相信經證實的結論。 |
| 24. | ______a<br>______b | 我會盡可能在記事簿記下事情。<br>我盡可能少用記事簿記載事情。 |
| 25. | ______a<br>______b | 我會在團體中詳細地討論新奇未決定的問題。<br>我會自己先想出結論，然後才和他人討論。 |
| 26. | ______a<br>______b | 我會擬定詳密計畫，然後確實的執行。<br>我擬定計畫，但不一定執行。 |
| 27. | ______a<br>______b | 我是理性的。<br>我是感性的。 |
| 28. | ______a<br>______b | 我會隨心所欲做些事。<br>我儘量事先瞭解別人期望我做什麼。 |
| 29. | ______a<br>______b | 我喜歡成為眾人的焦點。<br>我喜歡退居幕後。 |
| 30. | ______a<br>______b | 我喜歡自由想像。<br>我傾向檢視實情。 |
| 31. | ______a<br>______b | 我喜歡體驗感人的情境或事物。<br>我傾向運用能力，分析情境。 |
| 32. | ______a<br>______b | 我會在預定的時間內開會。<br>我會在一切妥當或安適的情況下，宣布開會。 |

**計分方法：**

1. 將計分表上每一直欄的總分相加，共四對，八個分數。
2. 分別找出每一對分數中，數字較大者，即為你個人的風格，每人均可有四個風格。例如：內向性 18 分，外向性 22 分，則取外向性為個人風格，其他以此類推。
3. 每個風格都有程度上的差別，如果在相對應的兩個風格中（如外向性對應內向性），有一方的程度較強，即表示另一方程度較弱，其比照分數如下：

   30-40 分：表示這風格非常強，幾乎沒有另一對應風格。

   25-29 分：表示這風格比另一風格強。

   22-24 分：表示這風格比另一風格稍強一些。

   20-21 分：表示兼具兩個風格的特質。

| 內向（I） | 外向（E） |
|---|---|
| 1.b | 1.a |
| 5.a | 5.b |
| 9.a | 9.b |
| 13.a | 13.b |
| 17.a | 17.b |
| 21.b | 21.a |
| 25.b | 25.a |
| 29.b | 29.a |
| 合計： | 合計： |

| 直覺（N） | 官覺（S） |
|---|---|
| 2.a | 2.b |
| 6.b | 6.a |
| 10.a | 10.b |
| 14.a | 14.b |
| 18.a | 18.b |
| 22.a | 22.b |
| 26.b | 26.a |
| 30.a | 30.b |
| 合計： | 合計： |

| 理性（T） | 感性（F） |
|---|---|
| 3.a | 3.b |
| 7.a | 7.b |
| 11.a | 11.b |
| 15.b | 15.a |
| 19.b | 19.a |
| 23.b | 23.a |
| 27.a | 27.b |
| 31.b | 31.a |
| 合計： | 合計： |

| 開放（P） | 果斷（J） |
|---|---|
| 4.a | 4.b |
| 8.a | 8.b |
| 12.a | 12.b |
| 16.a | 16.b |
| 20.b | 20.a |
| 24.b | 24.a |
| 28.a | 28.b |
| 32.b | 32.a |
| 合計： | 合計： |

**各種風格的優缺點：**

| | 內向型（I） | 外向型（E） | 直覺型（N） | 官覺型（S） | 理性型（T） | 感性型（F） | 開放型（P） | 果斷型（J） |
|---|---|---|---|---|---|---|---|---|
| 優點 | 獨立自主、埋首工作、勤勉奮發、沉思的依自己理想行事 | 能運用外在環境資源、樂意與他人來往、開放的態度、行動派、易為他人所瞭解 | 對事情能面面觀之、以整體概念看事、富想像力、嘗試新鮮構想、喜歡複雜的工作、喜歡解決新奇的問題 | 注意細節、重視實際、能記住瑣碎細節、耐得住煩悶的工作、有耐性、細心有系統 | 合乎邏輯擅於分析、客觀、公正、有邏輯系統的思考、具擬判能力、堅定 | 體諒他人感受、瞭解他人的需要、喜歡和諧的人際關係、易表露情感、喜去說服他人 | 易於協調、可由各角度欣賞事物、具彈性、開放的態度、依據可靠的資料做決定、不任意批評 | 有計畫系統的、有決心的、有控制的能力、做決定明快 |
| 缺點 | 對外在環境誤解、逃避他人、掩飾自己、坐失良機、易為他人誤會、不喜被打斷工作 | 不夠立場、需要和他人共事、喜歡變化、衝動派、討厭規範約束 | 不注重細節、不注意實際、不耐沉悶、不合邏輯、把握不住現在、驟下斷語 | 失去整體的概念、想不出各種可能解決的途徑、不注重直覺、不求創新、無法應付太複雜的工作、不喜歡預測未來 | 忽略他人感受、誤解別人的價值觀、不在意和諧的人、不露感情、憫情較少、不能說服他人 | 不合乎邏輯、不夠客觀、沒有組織系統的思考、不具批判精神全盤接受、感情用事 | 猶豫不決、散漫無計畫、不能有效的控制情況、易被分心、不易照計畫完事 | 固執、不易妥協、沒有彈性、依手邊現有的少許資料做決定、任何批評為工作計畫所控制 |

資料來源：邱美華、杜惠英（2016）。**生涯與職能發展學習手冊**。高雄：麗文文化。

## 2-B-3 人格九型

**說明：**

1. 人格九型是用來評估自己在團體中的特性：它可以從使命／說話方式／性格特徵來區分。
2. 用來瞭解自己在團體中別人對我的看法／我在團體中的角色／我對團體與個人參與方式的特性。
3. 教師解說後，請學生評估自己比較像哪一種。可能會選到 1-3 種。

### 一、哪種最像你？

1. 跟從原則者（Regulator）

   人生使命：事事要正確，不容犯錯。

   性格特質：自我要求高，喜歡批評自己與別人，細心，勤奮，刻苦耐勞，有毅力，講求公平，公正，有抱負，有原則，盡忠職守。

   說話方式：應該，不應該，對錯分明，實話實說。

2. 成就他人者（Supporter）

   人生使命：令人喜歡自己，倚賴自己。

   性格特質：愛成就他人，忘我，盡責，善解人意，有強烈直覺，喜歡受人重視，自負。

   說話方式：討好之言。

3. 成就者（Achiever）

   人生使命：目標為本。

   性格特質：擅於計算，講求效率，辦事能力強，自信，喜歡別人奉承，注重形象打扮。

   說話方式：誇誇之言。

4. 憑感覺者（Feeler）

   人生使命：忠於自己感受（真）。

   性格特質：憑感覺做事，追求心靈刺激，自我，幻想力強，感性。

   說話方式：真情（心）對話。

5. 理性分析者（Rationalist）

   人生使命：吸收知識，思考，分析，令自己成為一個有用的人。

   性格特質：理性，好學，抽離，不重視物質生活，重視精神溝通，不擅交。

   說話方式：句句精警，不多說一句無意義的話，寡言。

6. 尋找安全者（Safety Seeker）

   人生使命：透過思考令自己感覺安全。

   性格特質：愛發問，追求安全感，性格矛盾，害怕太突出，依附權威，不服權威，容易衝動，喜愛思考，辦事拖延，缺乏自信。

   說話方式：質疑與提問。

7. 樂觀創造者（Optimist）

人生使命：創造可能性。

性格特質：開心，愛玩，活力十足，喜歡說話，興趣廣泛，沒有耐性，粗心大意，辦事沒有章法，喜歡刺激，率性而為，口沒遮攔，交遊廣闊，缺少知心友。

說話方式：笑話，最重要的是開心。

8. 保護者（Protector）

人生使命：帶領，保護別人。

性格特質：領袖型，愛保護別人，有霸氣，有義氣，光明磊落，喜歡挑戰，愛改革，脾氣暴躁，情緒化，有正義感，容易心軟。

說話方式：Say “no”。

9. 維持和諧者（Harmonist）

人生使命：維持人與人之間的聯繫，和諧。

性格特質：有耐性，和藹可親，人緣好，不易得罪人，好好先生，懶惰，效率低，愛魂遊，愛附和別人，做事沒有規劃，固執。

說話方式：含糊其詞，無所謂，到時再說啦。

## 二、那一組詞語是你最熟悉或最能形容你呢？

| 號碼 | 詞語 | 次序 |
|---|---|---|
| 1 | 正確、努力、改進、仔細、效率、條理、公平、精確、認真、嚴肅 | |
| 2 | 照顧、關懷、無條件、忙碌、犧牲、慷慨、仁慈、同情心 | |
| 3 | 成功、效率、功利主義、形象、目標、魅力、受歡迎、名譽、掌聲 | |
| 4 | 獨特、創意、藝術、任性、空間、與眾不同、浪漫、直覺、感受 | |
| 5 | 空間、私隱、客觀、明智、抽離、知識、思考、觀察、沉默、獨立 | |
| 6 | 服從、忠心、幽默、安全、盡責、確實、本份、可靠、可信賴 | |
| 7 | 樂觀、搞笑、機靈、敏捷、創意、任性、選擇、即興、無拘無束 | |
| 8 | 直接、反擊、正義、自信、嫉惡如仇、獨立、果斷、不言敗、保護 | |
| 9 | 親切、心平氣和、隨和、樂觀、無所謂、耐性、順其自然、平衡 | |

**說明：**這是一個複測。你的 1-3 排序，可能就是人格九型中你的主要類型。

## 三、分組討論：4 人一組，這組的人組合在一起，這個團體會有什麼特性呢？

| 成員類型 | 評估這個小團體的特性 |
|---|---|
| | |

資料來源：許雅惠（主編）（2012）。**生涯與職能發展—自我評估與量表手冊**。臺北：寂天出版社。

# C 價值與選擇

## 2-C-1 澄清個人的生涯價值觀

1. 分組活動：
   4 人一組，1 人兼任拍賣長。
2. 先請每個人閱讀「個人價值觀清單」各項價值觀的說明，理解各個拍賣品項。
3. 每個人有 25,000 元，每次最低 1,000 元起標，投標價需為 500 的倍數。請主持人依順序主持各項拍賣：「現在拍賣『物質滿足』，請投標。（依組員出價）……1,500 一次、二次，4,500 一次……三次，恭喜得標。」
4. 學生於每項商品登記：
   自己是否參與／小組內的得標價。

| 重要序 | 名　稱 | 有參加請勾選並寫最高出價 | 小組得標價 | 說　　明 |
|---|---|---|---|---|
| | 物質滿足 | | | 擁有高價物品，如身飾物／名車／豪宅／精緻用品等。 |
| | 正義 | | | 對社會生活及個人參與社會，有公平正義的原則及期待。 |
| | 良好的友誼 | | | 擁有親密具有真實互動關係的友誼，能敞開分享同樂與相互支持。 |
| | 助人利他 | | | 重視社會大眾的福祉，樂意教導、提攜、協助、關懷別人，給人鼓勵與方便。 |
| | 美的追求 | | | 重視美感、和諧，欣賞、參與藝文活動，使個人生命及這個世界更美好。 |
| | 外表 | | | 重視個人的外觀形象、造型美感及個人獨特性的自我表達呈現。 |
| | 創意的尋求 | | | 重視新觀念的研發、新產品的設計，或在日常生活中，營造新鮮感，讓生命充滿活力與驚喜。 |
| | 變異性 | | | 重視富於變化，能嘗試不同的經驗。 |
| | 冒險性 | | | 重視冒險中接受挑戰，而達到超越自我。 |
| | 智性的激發 | | | 重視學習新知、周詳思考、分析事理，而達到自我成長的機會。 |
| | 獨立自主 | | | 重視個人以自己的方式或步調來學習、工作，與適應社會生活。減少對人的依賴。 |
| | 成就感 | | | 重視個人用心所作所為能有具體成果，並因此獲得精神上的滿足。 |

| 重要序 | 名　稱 | 有參加請勾選並寫最高出價 | 小組得標價 | 說　　明 |
|---|---|---|---|---|
| | 聲望／成名 | | | 重視個人的名譽與面子，此種聲望可能來自於他人的敬佩，或來自權勢、財富與名份。 |
| | 權力 | | | 重視個人擁有權力來策劃、支配、影響他人。 |
| | 自我價值感 | | | 重視自我的認識、呈現，會強烈尋求個人存在的意義。 |
| | 好工作 | | | 有一個自己認為可以滿足的工作。 |
| | 財富 | | | 重視充裕的錢財或優厚的待遇，使個人有能力購置所想的東西，獲得物質生活的滿足。 |
| | 安全感 | | | 重視物質上安定生活的保障，以及精神上免於動盪不安的威脅。 |
| | 生活環境 | | | 重視在不冷、不熱、不吵、不髒、不亂或交通方便的安和樂利環境下生活。 |
| | 生活方式的選擇 | | | 重視自己的起居作息、結婚、生育與否等生活方式的選擇，並實現自己的理想。 |
| | 休閒活動 | | | 重視娛樂、度假與消遣性活動，或各種興趣嗜好的培養。 |
| | 運動能力 | | | 重視身體健康、身材健美、體能活動的樂趣與成就，或進而提升生活的適應與應變能力。 |
| | 養生美食 | | | 重視食物的挑選使用及食物與生活的關係。 |
| | 多種職業 | | | 重視自己可以有多種職業興趣，有主業副業，多元身分。 |
| | 群己關係 | | | 重視個人自由，並兼顧與群體秩序之間的和諧。 |
| | 長輩關係 | | | 重視對長輩、師長或上司的尊重，且能融洽相處，或進而領受其經驗傳承。 |
| | 同輩關係 | | | 重視與兄弟姊妹及志同道合的同輩親友和睦相處，或進而成為工作伙伴。 |
| | 親密關係 | | | 重視愛情／婚姻關係／性關係的親密感及溝通維護。 |
| | 家庭 | | | 重視自己所建立的家庭中親職角色、家庭功能、親子之間的良好溝通與親密關係。 |
| | 孝順父母 | | | 重視對原生家庭父母的敬愛、順從，及反哺報恩。 |
| | 光宗耀祖 | | | 重視對祖榮耀家庭及世代傳承。 |
| | 宗教信仰 | | | 重視特定宗教的信仰，藉其經典與儀式，以獲致身心靈的平安與和諧，及探索、瞭解宇宙真相的奧祕。 |
| | 改變世界 | | | 願意為社會，更好的世界，投入個人的努力、時間與精力 |
| | 其他 | | | |

看看自己與他人的答案有何不同？這不同中你有何想法或反省？

## 學習單

一、 生命中最重要的事，請排序十項：

1. 依重要程度，自 1（最重要、最重視）至 10 依序排列。填入下表。
2. 學生 3-5 人一組，與同組其他同學分享自己的排行，並探討差異狀況。

| 1 | 2 | 3 | 4 | 5 |
|---|---|---|---|---|
| 6 | 7 | 8 | 9 | 10 |

二、 從前一題你排序的項目，寫出它的類屬，你就會找出你的價值類別的優先序。

1. 人格特質　2. 控制權　3. 人際關係　4. 物質　5. 權力／影響力
6. 身心靈　7. 個人偏好

三、 教師就學生發表之心得加以歸納並做評論。

資料來源：
1. 許雅惠（主編）（2012）。**生涯與職能發展－自我評估與量表手冊**。臺北：寂天出版社。
2. 林幸台、林恭煌、許永昌（編著）（2001）。**生涯規劃**。臺北：三民書局股份有限公司。

## 2-C-2 工作價值觀檢核

**說明：**

1. 依據自己對工作價值的認同度給分，在框框內勾選。

| 1 非常不重要 | 2 不重要 | 3 普通 | 4 重要 | 5 非常重要 | 題　目 |
|---|---|---|---|---|---|
| | | | | | 1. 我的工作是必須經常解決新的問題。 |
| | | | | | 2. 我的工作能為社會大眾的福利帶來可看見的成果。 |
| | | | | | 3. 我的工作獎金很高。 |
| | | | | | 4. 我的工作內容會經常變換。 |
| | | | | | 5. 我能夠在工作範圍內自由發揮才華。 |
| | | | | | 6. 我的工作能使同學、親友羨慕我。 |
| | | | | | 7. 我的工作帶有藝術性。 |
| | | | | | 8. 我的工作能使自己感覺到是團體中的一分子。 |
| | | | | | 9. 不論怎麼做，我希望能和大多數人一樣晉級且增加工資。 |
| | | | | | 10. 我的工作能使我有機會經常變換工作地點、場所或工作型態。 |
| | | | | | 11. 在工作中我能夠接觸到各種不同的人。 |
| | | | | | 12. 我的工作上下班時間比較彈性、自由。 |
| | | | | | 13. 我在乎工作能使我不斷獲得成功的感受。 |
| | | | | | 14. 工作能賦予我高於別人的權力。 |
| | | | | | 15. 在工作中，我能試行一些自己的新想法。 |
| | | | | | 16. 在工作中，我不會因為身體或能力等因素，被人瞧不起。 |
| | | | | | 17. 我能從工作成果中，瞭解自己做得不錯。 |
| | | | | | 18. 我的工作經常要外出、參加各種會議和活動。 |
| | | | | | 19. 我做這份工作，就不再被調到其他意想不到的單位和部門。 |
| | | | | | 20. 我的工作能使世界更美麗。 |
| | | | | | 21. 我在工作中，能不被其他人打擾。 |
| | | | | | 22. 只要努力，我的薪水會高於其他同年齡的人；晉升或增加工資的可能性也比其他工作大得多。 |
| | | | | | 23. 我的工作是一項對智力的挑戰。 |
| | | | | | 24. 我的工作要求將一些事物處理得井井有條。 |
| | | | | | 25. 我的工作場所提供舒適的咖啡區、午餐區及其他休憩的設備。 |

| 1 非常不重要 | 2 不重要 | 3 普通 | 4 重要 | 5 非常重要 | 題　目 |
|---|---|---|---|---|---|
| | | | | | 26. 我的工作有可能結識各行各業的知名人物。 |
| | | | | | 27. 我的工作能和同事建立良好的關係。 |
| | | | | | 28. 在別人眼中，我的工作是很重要的。 |
| | | | | | 29. 在工作中，我經常接觸到新鮮的事物。 |
| | | | | | 30. 我的工作使我能常常幫助別人。 |
| | | | | | 31. 我在工作單位中，有可能經常變換工作。 |
| | | | | | 32. 在工作中，我的行事作風使我被別人器重。 |
| | | | | | 33. 同事和上司人品不錯，相處比較隨意。 |
| | | | | | 34. 我的工作，能夠使許多人認識我。 |
| | | | | | 35. 我的工作場所很好，比如有適度的採光、安靜、清潔的工作環境，甚至恆溫、恆濕等優越條件。 |
| | | | | | 36. 在工作中，我為他人服務，使他人感到很滿意，我自己也很高興。 |
| | | | | | 37. 我的工作需要規劃和管理別人的工作。 |
| | | | | | 38. 我的工作需要敏銳的思考。 |
| | | | | | 39. 我的工作可以使我獲得較多的額外收入，比如：常發獎金、常購買打折扣的商品、常發商品的提貨券、有機會購買進口舶來品等。 |
| | | | | | 40. 在工作中，我是不受別人差遣的。 |
| | | | | | 41. 我的工作結果是一種藝術，而不是一般的產品。 |
| | | | | | 42. 在工作中不必擔心會因為所做的事情，因上司不滿意而受到訓斥或薪資上的懲罰。 |
| | | | | | 43. 在我的工作中能和上司有融洽的關係。 |
| | | | | | 44. 我可以看見自己努力工作的成果。 |
| | | | | | 45. 在工作中常常要我提出許多新的想法。 |
| | | | | | 46. 由於這份工作，經常有許多人來感謝我。 |
| | | | | | 47. 我的工作成果常常能得到上司、同事或社會的肯定。 |
| | | | | | 48. 在工作中，我可能做一個負責人，雖然可能只能領導很少幾個人。但我信奉「寧為雞首，不為牛後」的俗諺。 |
| | | | | | 49. 我從事的工作，經常在報刊、電視中被提到，因而在人們心目中是很有地位。 |
| | | | | | 50. 我的工作有數量可觀的加班費、三節獎金及紅利。 |
| | | | | | 51. 我的工作比較輕鬆，精神上也不緊張。 |
| | | | | | 52. 我的工作需要和影視、戲劇、音樂、美術、文學等藝術打交道。 |

**13 種工作價值觀面向及其對應題號：**

| 序號 | 價值觀 | 題號 | 序號 | 價值觀 | 題號 |
|---|---|---|---|---|---|
| 1 | 利他主義 | 2、30、36、46 | 8 | 經濟報酬 | 3、22、39、50 |
| 2 | 美感追求 | 7、20、41、52 | 9 | 社會交際 | 11、18、26、34 |
| 3 | 智力啟發 | 1、23、38、45 | 10 | 安全感 | 9、16、19、42 |
| 4 | 成就感 | 13、17、44、47 | 11 | 生活舒適感 | 12、25、35、51 |
| 5 | 獨立性 | 5、15、21、40 | 12 | 人際關係 | 8、27、33、43 |
| 6 | 社會地位 | 6、28、32、49 | 13 | 變異或創意尋求 | 4、10、29、31 |
| 7 | 管理的權力 | 14、24、37、48 | | | |

# D 就業能力評估

## 2-D-1 多元智能檢核

**說明：**

1. 依據各個項目的符合程度在框框內填入 0-3 分。

   0 分＝完全不符合　1 分＝少部分符合　2 分＝大部分符合　3 分＝非常符合

2. 計算各項多元智能分數，並畫入雷達圖內（由內而外一格 1 分）。

### 一、 語文智能（合計　　分）

- ☐ 我喜歡聽口述語言（故事、廣播、相聲）。
- ☐ 我善於編新奇的故事或笑話。
- ☐ 我喜歡說順口溜、雙關語、繞口令。
- ☐ 我喜歡玩接龍等文字遊戲。
- ☐ 我說故事或聊天能吸引別人的專注。
- ☐ 我喜歡寫作文和日記。
- ☐ 我喜歡和別人交談。
- ☐ 我喜歡看書。
- ☐ 我會善用成語、形容詞和譬喻等修辭。
- ☐ 我手寫字寫得好看又正確。

### 二、數學邏輯智能（合計　　分）

- ☐ 我對於如何做事，常會主動提出很多問題。
- ☐ 我能快速心算。
- ☐ 我喜歡上數學課。
- ☐ 我對算數遊戲或電腦計算遊戲感興趣。
- ☐ 我喜歡象棋或其他策略性遊戲。
- ☐ 我喜歡猜謎或推理方面的邏輯問題。
- ☐ 我喜歡將事物進行分類或分等處理。
- ☐ 我喜愛思考問題。
- ☐ 我喜歡用符號計算或記錄。
- ☐ 我對事情的原因和結果很清楚。

### 三、 空間智能（合計　　分）

- ☐ 我可清楚說出眼睛看到的或腦中想到的影像。
- ☐ 我閱讀地圖和圖表比文字容易。
- ☐ 我喜歡想像。
- ☐ 我喜歡參加畫展等藝術活動。
- ☐ 我畫圖畫得比其他人好。
- ☐ 我喜歡看電影或其他視覺表演。
- ☐ 我喜歡拼圖、走迷宮或類似的視覺活動。
- ☐ 我喜歡製作有趣的立體模型。

☐ 我喜歡閱讀圖畫很多的書。
☐ 我能用圖像表達自己的想法。

## 四、 肢體動覺智能（合計　　分）

☐ 我擅長一種或多種體育運動（如跑步、籃球、游泳、跳高等）。
☐ 我長時間坐在一處會扭動、敲打或煩躁不安。
☐ 我善於模仿他人動作或言談舉止。
☐ 我喜歡拆解，然後再組裝物品。
☐ 我喜歡觸摸所見的事物。
☐ 我喜歡跑、跳、摔跤或類似的活動。
☐ 我有手工方面的技能（如木工、縫紉、機械等）。
☐ 我喜歡演戲。
☐ 我在思考與工作時，常會有手舞足蹈的動作。
☐ 我喜歡黏土或手指畫等活動。

## 五、 音樂智能（合計　　分）

☐ 音樂走調或出錯時我立刻知道。
☐ 我能很快記得歌曲的旋律。
☐ 我唱歌很好聽。
☐ 我會彈奏樂器或參加合唱團。
☐ 我在講話或走動時很有節奏感。
☐ 我會無意識地自己哼唱。
☐ 我做事時會在桌上打節拍。
☐ 我對外界噪音很敏感。
☐ 我喜歡聽音樂。
☐ 我會創作歌曲。

## 六、 人際智能（合計　　分）

☐ 我喜歡與同伴談心。
☐ 我喜歡領導或指揮別人做事。
☐ 我喜歡提供意見給有問題的朋友。
☐ 我在學校外變得比較聰明。
☐ 我喜歡小組活動或參加社團。
☐ 我喜歡教導其他人。
☐ 我喜歡與其他人一起玩。
☐ 我有兩、三個好朋友。
☐ 我會主動關心別人。
☐ 別人喜歡找我做伴。

## 七、 內省智能（合計　　分）

☐ 我能獨立、意志堅強，不隨便放棄。
☐ 我清楚瞭解自己的優缺點。
☐ 我自己一個人也可以玩耍或學習。
☐ 我的生活和學習方式與眾不同。
☐ 我會常常反省自己的行為。
☐ 我會自己定目標。
☐ 我喜歡獨立工作。

- □ 我能準確表達自己的感覺。
- □ 我能從生活和失敗中學習。
- □ 我自尊心很強。

## 八、 自然觀察智能（合計　　分）

- □ 我擅長分辨動物、植物或岩石的種類。
- □ 我喜歡談論一些關於動植物的知識。
- □ 我喜歡看、聽、聞，和觸摸所看到的物體。
- □ 我喜歡養寵物或種植一些花草樹木。
- □ 我常會注意到其他人所未注意到的事物。
- □ 我時常仰望天空且告訴他人雲的種類和所帶來的天氣型態。
- □ 我很容易注意並分辨家裡、學校和附近的植物。
- □ 我喜歡參加賞鳥、園藝、自然步道等戶外活動。
- □ 我對介紹自然界的書、影片或節目特別有興趣。
- □ 我喜歡蒐集一些自然景物（例如標本、貝殼），並做有系統分類。

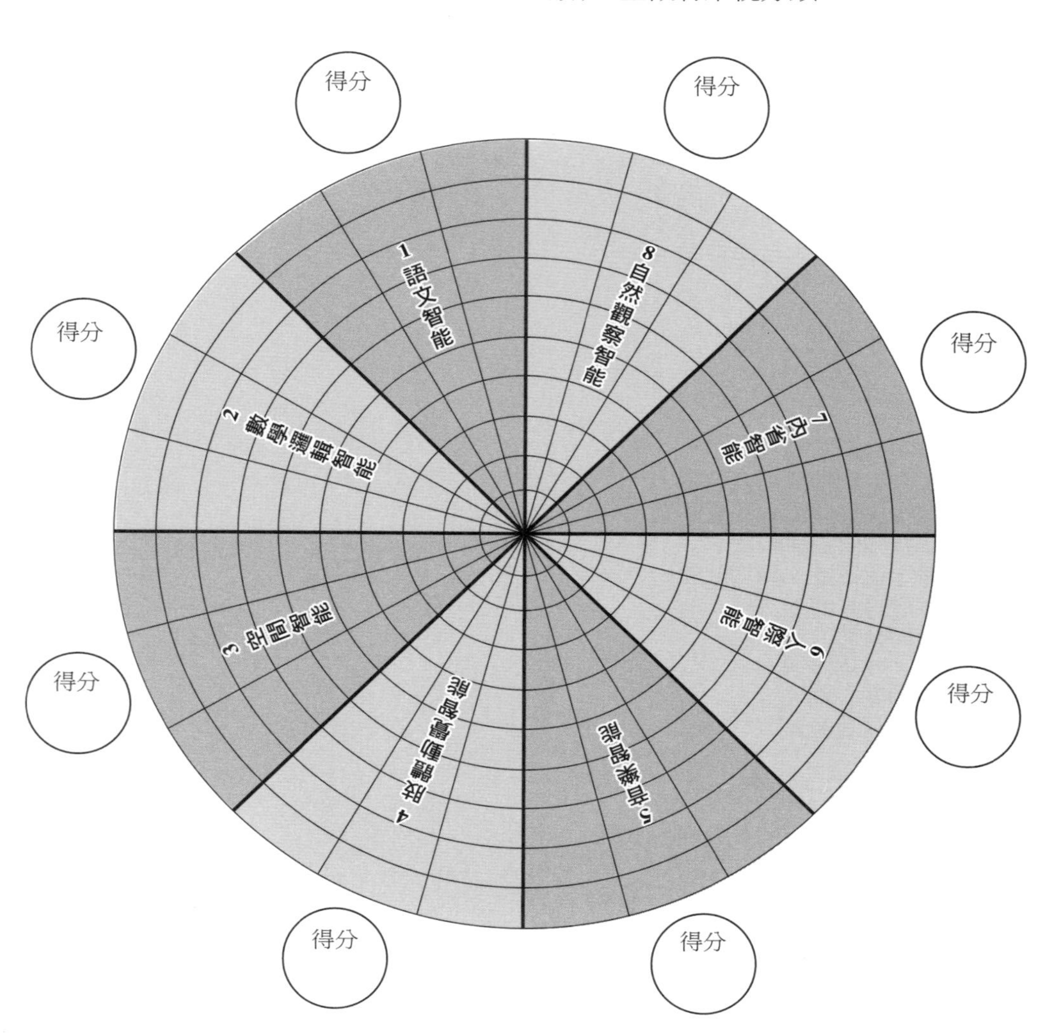

# 第3編 從個人到社會

# A 生涯阻隔

## 3-A-1 生涯發展阻隔

**說明：**

1. 生涯發展阻隔因素量表共 77 題，幫助受試者覺察阻礙自己生涯正向發展的各項因素，面對並改正不當的、被忽略的認知系統，以獲得較佳生涯發展。
2. 課堂施測 30 分鐘，記錄教師分析解說的測驗結果。

**作業：**

將答案紙黏貼於本單元，並針對九項阻礙生涯發展因素，標註自己得分前三高者，並分析可能原因及提出因應策略。

| 阻隔因素 | 前三高分項目 | 可能原因 | 因應策略 |
|---|---|---|---|
| 1. 方向不明 | | | |
| 2. 信心不足 | | | |
| 3. 學習干擾 | | | |

| 阻隔因素 | 前三高分項目 | 可能原因 | 因應策略 |
|---|---|---|---|
| 4. 堅持不足 | | | |
| 5. 發展阻撓 | | | |
| 6. 意志薄弱 | | | |
| 7. 猶豫行動 | | | |
| 8. 科系困擾 | | | |
| 9. 決策干擾 | | | |

# B 自我效能

## 3-B-1 自我效能檢核

**說明：**

生涯自我效能指一個人在生涯發展過程，對自己能成功完成工作任務的看法、信念及期望所形成的一種自我評價。每一題均有五種「符合程度」的選項，圈選最符合目前狀況的選項。

**生涯自我效能量表**

| | | 從未發生 | 很少發生 | 五成機率 | 常常如此 | 肯定如此 |
|---|---|---|---|---|---|---|
| 1. | 我可以預料許多同學跟我一樣，畢業後都能擁有一份好工作。 | | | | | |
| 2. | 根據在校的各方面表現，相信畢業後我能夠順利找到工作。 | | | | | |
| 3. | 當我找到自己生涯方向時，感到相當興奮。 | | | | | |
| 4. | 親友認為我應該很容易找到工作。 | | | | | |
| 5. | 當我想到要花費時間找工作，心情就不好受。* | | | | | |
| 6. | 在過去求職經驗上，我表現得不錯。 | | | | | |
| 7. | 我在意是否擁有一份好工作，但卻不會太擔心求職這件事。 | | | | | |
| 8. | 我的家人謀職都很順利，而這也達成他們在職涯發展的期待。 | | | | | |
| 9. | 師長們曾鼓勵我，至企業界毛遂自薦求職。 | | | | | |
| 10. | 一提到找工作這件事，就會讓我神經緊繃。* | | | | | |
| 11. | 我預見同學跟我一樣，可以克服求職的種種挑戰。 | | | | | |
| 12. | 知道如何才能擁有好職業的親友長輩，這些人告訴我，他們相信我未來一定會成功。 | | | | | |
| 13. | 求職的經歷，讓我感到相當滿意。 | | | | | |
| 14. | 我周遭好友找工作都很順利。 | | | | | |
| 15. | 我擔心畢業後求職問題，一想到腦海就一片空白。* | | | | | |
| 16. | 我認為自己在求職方面的準備相當足夠且有自信。 | | | | | |
| 17. | 當我在準備找工作時，情緒就不自覺地緊張。* | | | | | |
| 18. | 我朋友的爸媽曾經稱讚或肯定我在謀職方面所做的努力。 | | | | | |
| 19. | 找工作時，我心裡充滿正向積極的能量。 | | | | | |
| 20. | 基於過去的求職經驗，我認為我擁有找到好職業的必備技能。 | | | | | |

（* 代表反向題。）

資料來源：邱美華、杜惠英（2016）。**生涯與職能發展學習手冊**。高雄：麗文文化。

## 3-C-1 生涯彩虹白版

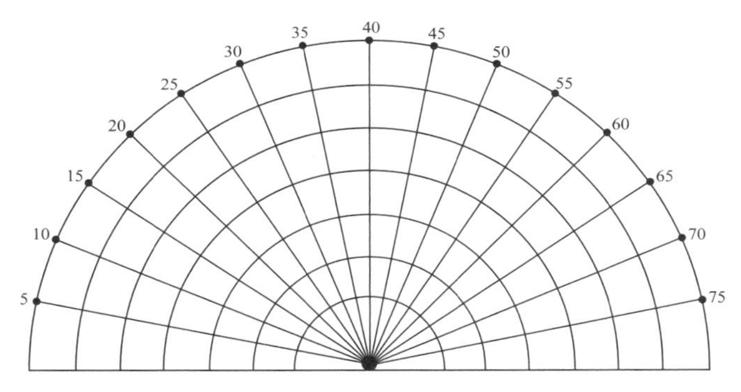


## 3-C-2 生涯角色比重

**說明：**

依據 Super 生涯彩虹圖，每一個角色具有長度、廣度與深度等面向。回答下列提問並畫出目前及未來的角色比重分配。

1. 列出自己上大學之前曾擁有的角色。

2. 列出自己現在正擔任的角色。

3. 比較其間那些不同的角色，並寫下角色產生改變的原因。

4. 你最喜歡與最不喜歡的角色為何？原因何在？

最喜歡的角色：
原因：
最不喜歡的角色：
原因：

5. 未來 10 年內，你可能會增加哪些角色？到 30 歲時，你期待是什麼樣的生活型態？

## 目前 20 歲擔任的生涯角色比重

| 角色比重 | | | | | | |
|---|---|---|---|---|---|---|
| 100% | | | | | | |
| 90% | | | | | | |
| 80% | | | | | | |
| 70% | | | | | | |
| 60% | | | | | | |
| 50% | | | | | | |
| 40% | | | | | | |
| 30% | | | | | | |
| 20% | | | | | | |
| 10% | | | | | | |
| | 子女 | 學生 | 打工族 | 男（女）朋友 | | |

角色名稱

## 未來 30 歲可能承擔的生涯角色

| 角色比重 | | | | | | |
|---|---|---|---|---|---|---|
| 100% | | | | | | |
| 90% | | | | | | |
| 80% | | | | | | |
| 70% | | | | | | |
| 60% | | | | | | |
| 50% | | | | | | |
| 40% | | | | | | |
| 30% | | | | | | |
| 20% | | | | | | |
| 10% | | | | | | |
| | 子女 | | | | | |

角色名稱

# 第4編 認識就業實況

# A 全球化現象與產業趨勢

## 4-A-1 行業別與職業別

1. 想入哪行？想做什麼職業？這是兩個不同領域的就業知識。
2. 行業的重要性在於：行業別整體發展格局趨勢，是個人就業的外在趨勢架構。職業的重要性在於：是你每天所要實際投入的工作任務。
3. 你知道臺灣新興行業嗎？知道哪些行業或職業的工作條件？就業人口？薪資概況嗎？

**分組學習單：**

1. 請上勞動部網站 https://www.mol.gov.tw/statistics/2475/2477/3549/
2. 完成小組工作任務：
   (1) 找出臺灣六大新興行業。
   (2) 小組共同作業：討論小組成員共同有興趣的行業別，擇一進行流覽，完成摘要並分組口頭報告。
   (3) 個人個別作業：個人選擇一個職業別進行流覽，寫出新獲得的資訊。

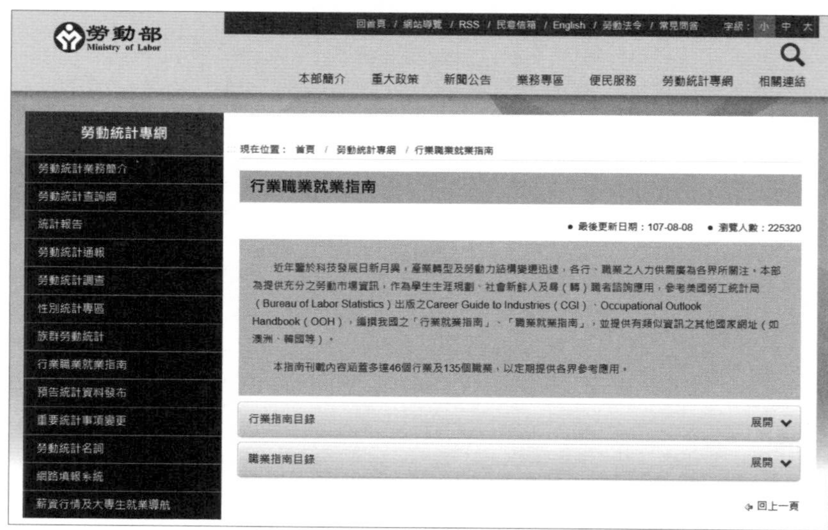


資料來源：勞動部（2018）。行業職業就業指南。取自 https://www.mol.gov.tw/statistics/2475/2477/3549/

## 4-A-2 影響未來產業發展關鍵課題

**說明：**

1. 小組依據影響未來 10-20 年產業發展趨勢之關鍵議題，選擇最關心之項目進行資料蒐集及延伸閱讀，上台分享閱讀心得與感想。

| 衝擊性（高→低） | 高衝擊性×低不確定（基調） | 高衝擊性×高不確定（變因） |
|---|---|---|
| 高 | 1. 人口結構改變、人數消長、勞動力短缺。<br>2. 少子高齡化。<br>3. 家庭型態轉變。<br>4. 新興經濟體的崛起。<br>5. 無所不在的智慧生活（手持裝置、應用軟體、虛實整合）。<br>6. 與日俱增的災害風險。<br>7. 企業社會責任的期望（碳排放、生態足跡、勞動條件）。 | 1. 中國經濟的穩定發展？<br>2. 中國下世代領導人的接班。<br>3. 中國社會貧富落差的改善。<br>4. 人民幣升值與匯率制度改革。<br>5. 退休金與保險制度的永續與否。<br>6. 世界恐怖主義活動。<br>7. 生命科學與醫藥進步。<br>8. 核能與天然能源的路線之爭。<br>9. 能源、資源價格高漲與波動。<br>10. 新能源技術的導入與普及。<br>11. 地緣經濟與地緣政治關係的鏈結與維繫。<br>12. 水、糧食、資源短缺或匱乏。<br>13. 資源國家主義、資源保護主義（限制出口、管制投資）。 |
| 低 | 低衝擊性×不確定性 | |
| | 1. 彈性工時與工作型態轉變。<br>2. 論壇社群與群眾智慧。<br>3. 國際企業的分散佈局。 | |
| | 低　　不確定性 | 高 |

資料來源：陳文棠（2012）。**2020 產業趨勢前瞻**。產業情報研究所（MIC）財團法人資訊工業策進會。

| 八大趨勢 |
| --- |
| 1：高齡化、少子化、人口往城市集中。 |
| 2：高度全球化，新興經濟體崛起。 |
| 3：電子商務國際化，資安事件層出不窮。 |
| 4：創新的原動力：跨領域科技整合。 |
| 5：區域經濟成常態，中國與印度國力增強。 |
| 6：吹起綠色環保風，精敏製造成為新潮流。 |
| 7：資源效率再提升：水、石油與糧食。 |
| 8：天然性的災害，經常伴隨人為災難。 |

| 七大挑戰 |
| --- |
| 1：人口紅利消失。 |
| 2：國際人才競奪與人才斷層。 |
| 3：兩岸產業發展重點重複性高。 |
| 4：能源自給率低，綠色轉型存在多元瓶頸。 |
| 5：創新集中特定領域且效益不足。 |
| 6：教育學研體系與產業脱節。 |
| 7：網路基礎環境與產業落後中韓。 |

資料來源：詹文男、蘇孟宗、陳信宏、林欣吾等（合著）（2015）。**2025台灣大未來：從世界趨勢看見台灣機會**。臺北：大立文創。

# B 青年就業課題

## 4-B-1 認識就業市場

### 一、就業想像

1. 你認為畢業後的工作，由怎樣的一個雇主或組織來提供？
2. 老闆與職員的差異是：

| 老闆 | 受雇者 |
| --- | --- |
| | |
| 我比較想當…… | |

3. 你喜歡具有一定程度與範圍的穩定工作，還是每次任務都不太一樣的工作？理由是……

| 固定內容的工作 | 任務不同的工作 |
| --- | --- |
| | |

4. 名片想像：想像 28 歲時，如果你一張有多重頭銜的名片，這些頭銜或職稱是什麼？

## 二、現今就業現況

閱讀以下就業現況報導，小組分享你看到什麼重點？

**失業率：2 月失業率為 3.95% ，較上月上升 0.08 個百分點，較上年同月上升 0.26 個百分點**

2 月失業率為 3.95% ，較上月上升 0.08 個百分點；如與上年同月比較，亦升 0.26 個百分點。經季節調整後失業率為 3.94% ，較上月上升 0.03 個百分點；與上年同月比較，亦升 0.21 個百分點。1 至 2 月失業率平均為 3.91% ，較上年同期上升 0.21 個百分點。

按教育程度別觀察，國中及以下程度者失業率 3.16%；高中（職）程度者失業率 3.91%；大專及以上程度者失業率 4.27% ，其中大學及以上程度者失業率 4.90%。

按三段工作年齡層觀察，15 至 24 歲年齡層失業率 11.89% 最高；25 至 44 歲年齡層為 4.16% 次之；45 至 64 歲年齡層為 2.20%。

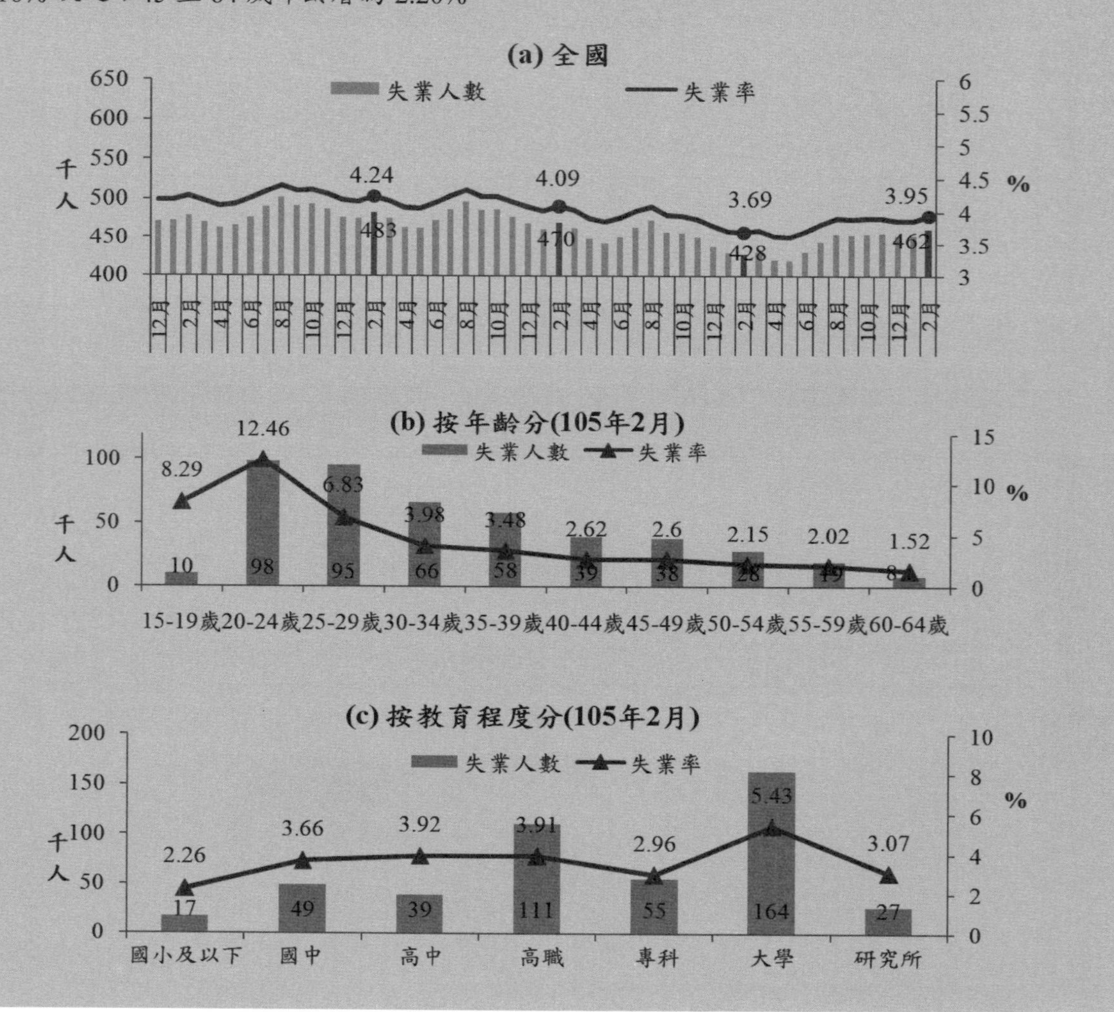


資料來源：2017 行政院主計總處，人力資源調查統計。

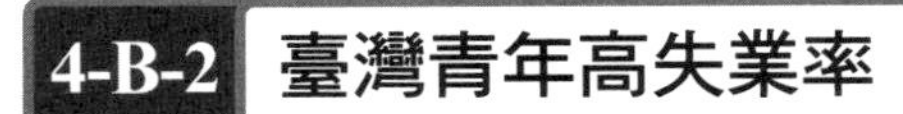

## 4-B-2 臺灣青年高失業率

**說明：**

1. 觀賞加拿大紀錄片《無業世代》(*Jobless generation*) 45 分鐘，小組討論臺灣青年高失業率相關責任議題，以及大學校園、就業職場的文化差異。

| 政府責任 | 企業責任 | 青年責任 |
|---|---|---|
| • 大學畢業生供過於求（教改）<br>• 高等教育與產業需求脫節 | • 勞動條件落差<br>• 工作機會不足<br>• 保守職場文化 | • 行職業偏見<br>工作價值觀<br>• 能力素質落差<br>• 就業資訊落伍<br>• 欠缺生涯規劃<br>• 職場適應不良<br>• 長期失業自信心喪失 |

| 大學文化 | 職場文化 |
|---|---|
| 自由散漫，作息顛倒 | 高度紀律，時間嚴明 |
| 想翹課就翹課 | 沒有翹班的自由 |
| 60 分及格就好 | 120 分的嚴謹度 |
| 學生容許犯錯 | 沒有犯錯的權利 |
| 教師有義務教你 | 主管沒義務教你 |
| 平等溝通 | 尊卑分明 |
| 批判嗆聲 | 被責罵是常態 |
| 鼓勵勇於表達 | 新人多聽少說 |
| 要有抱負，立志做大事 | 瑣事做起，最怕眼高手低 |
| 教你維護自身權益 | 工作不能太計較 |
| 獨來獨往沒人管 | 團隊放在第一位 |
| 交自己喜歡的朋友 | 與不喜歡的人共事 |
| 做自己喜歡的事 | 就算不喜歡也要做 |
| 放學寫完功課就沒事 | 責任制沒有下班可言 |

資料來源：整理摘錄臧聲遠。從學校到職場：青年就業問題的虛與實【部落格文字資料】。臧聲遠部落格，取自 http://blog.career.com.tw/managing/default_content.aspx?na_id=1057&na_toolid=401；清大彭明輝（2012）。青年失業的真相【部落格文字資料】。清大彭明輝的部落格，取自 http://mhperng.blogspot.com/2012/01/blog-post_07.html

# C 時代青年特性

## 4-C-1 斜槓青年是什麼？你想當嗎？

**分組活動：**

1. 請花 15 分鐘，看完以下的兩篇報導及回應文字。
2. 分組討論：你受吸引嗎？你有疑惑或恐懼嗎？是什麼？為什麼？

### 第一篇　斜槓青年

**除了本業，你還擁有什麼？**
**除了職稱，你還有沒有比名片更亮眼的故事？**
**席捲全球新風潮！**
**不是迫於生存，而是不甘平庸！**

**斜／槓／青／年——Slash 是一種生活態度！**
共享經濟時代，越來越多人不再滿足於單一職業和身分的束縛，
開始選擇一種能夠利用自身專業和才藝，經營多重身分的多職人生。
這些人都擁有一個共同的名字：斜槓青年／ Slash。

**對於一個斜槓青年最重要的是：**
**不是身兼很多種賺錢的方式，而是擁有許多真正熱愛的事物。**
**透過不同管道，讓你的才華和機會超／展／開！**
斜槓青年並不浪漫，但可能精采。他們投資的不是財富，而是自己人生的故事！
一邊做設計同時開書店、從事攝影也是健身教練、寫程式邊做 Youtuber……
**如今全球斜槓青年的故事已越堆越厚，如果你還未上路，那你該緊張了。**

未必要辭職去旅行，拋棄麵包追逐詩與遠方。
但是你該捫心自問，除了一份安穩的工作，你還會什麼？
如果世界是精采的，當你 delete 人生的其他選擇，自然就沒得選擇。
**你要做一隻在猴群裡爬樹的魚？還是也同時痛快地游水！**
**讓現在的業餘愛好，成為你未來謀生的手段！**
從今以後，按自己的方式生活！

這個時代，大家都處於一種不斷變動的焦慮，過去的一招半式闖江湖，一份工作做到底，已經過去了。現在的經驗法則，就是沒有法則，必須依靠探索和嘗試來瞭解這個「沒有模式的時代」的新規則。

資料來源：博客來（2017）。斜槓青年：全球職涯新趨勢，迎接更有價值的多職人生。取自 http://www.books.com.tw/products/0010762201

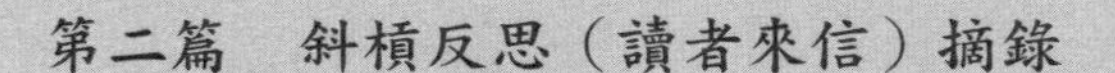

## 第二篇　斜槓反思（讀者來信）摘錄

……報導中的談法勢必引發困惑：如果斜槓所指涉的勞動型態（兼職、非固定聘僱）早已不是新鮮事，為什麼它突然成為這個時代的浪漫希望？更具體而言，斜槓青年都在寫歌和賣手工瓷器嗎？為什麼沒有人訪問速食店櫃檯／辦公室工讀生／五專生的斜槓青年、清潔隊員／回收業的斜槓中年，又或是以一份工作養家、同時在家庭內擔任母職的「斜槓婦女」？顯然超商大夜班和加油站員工都不是「斜槓青年」，或者即便是，也難以領悟存在於其疲憊工作中的微弱「解放」。

我們應該向「斜槓」置疑：當「斜槓勞動」滿地都是，卻偏偏只有插畫師、樂團主唱和線上英語教師會突然發現他們是「屬於這個時代」的斜槓青年，而其他人則在兼了兩份低薪工作後，每天下班累得像狗一樣，只想回到 3 坪的雅房耍廢、嗑微波食品和看韓劇——那我們真正應該探問的是，是怎樣的勞動市場體系和所得分配結構造就「斜槓」就業？不同階層領域的人如何面對他們的斜槓人生？這難道就是「後工業社會」的進步象徵嗎？

成功的斜槓青年活出自我，失敗的斜槓魯蛇累得像狗——或許這才是「斜槓世代」的真實圖景。從政治經濟面粗淺討論，「斜槓」至少涉及兩個社會現實：

其一，當斜槓青年發現他們受夠了那些異化感愈趨嚴重的工作，「不再滿足『專一職業』這種無聊的生活方式」的時候，尋求一種鑲嵌式職業生活的渴望，便使他們相對不在意穩定就業收入帶給勞動者的較長期保障，相應的職缺也會應運而生。很籠統地說，斜槓式的求職一部分是異化勞動下，在既存生產體系中的一種驅力。（當然，也是有條件的。）

其二，愈來愈多的青年就業者——多半是較不幸運的那些斜槓魯蛇——則發現，一份低階的勞務性工作未必養得起自己，遑論要同時支應學業與負債。另外一些則對於找到一份完整且薪資足夠的工作感到困難，他們或許還沒有機會對單一工作感到無聊，不過斜槓已經成為現實。換句話說，斜槓的另一不光彩面向，其實就是就業貧窮與破碎的勞動生活。

資料來源：汪彥成（2016）。讀者來信：成功的「斜槓青年」上了端傳媒，而失敗的人還在找下一份兼職？端傳媒，取自 https://theinitium.com/article/20160607-notes-slash/

**小組討論摘要：**

哪篇更符合你想法？你受吸引嗎？有疑惑或恐懼嗎？為什麼？你期待多職還是有固定工作？

## 4-C-2 斜槓青年檢核

**說明：**

《紐約時報》專欄作家瑪希・艾波赫（Marci Alboher）描述紐約職場現象：很多人不滿足於「單一職業」生活方式，開始藉由多重收入、多重職業體驗更豐富的生活。每當遇到「你是做什麼的」問題時，不像其他人用一個完整職稱介紹自己，而是以「斜槓；／」區分不同身分，於是她為這些人創造一個新名詞：斜槓（Slash）青年。

| 項　　目 | 是 | 否 |
|---|---|---|
| 1. 我的性格熱情且做事主動積極。 | ☐ | ☐ |
| 2. 我清楚瞭解自己的天賦與喜好興趣。 | ☐ | ☐ |
| 3. 我對於新鮮事物充滿極大好奇心。 | ☐ | ☐ |
| 4. 我的生活興趣及嗜好相當廣泛。 | ☐ | ☐ |
| 5. 我不習慣處於穩定平淡的生活型態。 | ☐ | ☐ |
| 6. 我曾擁有或目前擁有多重的職業身分。 | ☐ | ☐ |
| 7. 我具備跨領域的專業能力。 | ☐ | ☐ |
| 8. 我會勇於追求自我挑戰的職業。 | ☐ | ☐ |
| 9. 我樂於享受多職的忙碌生活。 | ☐ | ☐ |
| 10. 我的自制力很強，針對感興趣事物會刻意加強練習。 | ☐ | ☐ |
| 11. 我懂得長期自我投資的重要性，並會努力實踐。 | ☐ | ☐ |
| 12. 與同儕相比，我具備本科（本職）的核心競爭優勢。 | ☐ | ☐ |
| 13. 我非常渴望財富自由。 | ☐ | ☐ |
| 14. 挑戰多重職業身分可以讓我在工作上獲得成就感和快樂。 | ☐ | ☐ |
| 15. 我相信只要願意，人生充滿更多的可能性。 | ☐ | ☐ |
| 16. 我無法忍受自己是靠勞力或長時間換取酬勞。 | ☐ | ☐ |
| 17. 我期待創造分身，為自己工作賺錢。 | ☐ | ☐ |
| 18. 我真的無法忍受一般公司體制下的固定薪資。 | ☐ | ☐ |
| 19. 我學習新知識與科技的能力快速。 | ☐ | ☐ |
| 20. 我擁有高度即知即行的行動執行力。 | ☐ | ☐ |

| 項　目 | 是 | 否 |
|---|---|---|
| 21. 我認為應該在職業選擇上充滿彈性，職涯發展才較為有利。 | □ | □ |
| 22. 我期望平衡的職涯型態，能將工作、生活、愛好三者融合一起。 | □ | □ |
| 23. 多元精采的生活型態比單一穩定的生活更加吸引我。 | □ | □ |
| 24. 我依從自己內心的狂熱衝動，不在乎世俗保守的觀念。 | □ | □ |
| 25. 我不滿足於在單一公司或機構中扮演螺絲釘角色。 | □ | □ |
| 26. 我認為單一的工作職位不足以定義自己的人生。 | □ | □ |
| 27. 多重的職業生活與角色，讓我覺得人生更有意義與滿意。 | □ | □ |
| 28. 我相信自己具有多重潛能及其他發展的可能性。 | □ | □ |
| 29. 我喜歡選擇體驗與嘗試新鮮不同的事物。 | □ | □ |
| 30. 我討厭單調一成不變的生活，渴望不同的生活型態。 | □ | □ |
| 31. 我懂得善用自己各種優勢與特長，創造自己有利的生涯策略。 | □ | □ |
| 32. 我有信心成為左右腦思維兼具的職場高手。 | □ | □ |
| 33. 我希望工作型態多元化，能夠在腦力、體力上相互切換。 | □ | □ |
| 34. 我認為從事不同的職業，才算擁有充足圓滿的人生。 | □ | □ |
| 35. 我有信心及能力在工作、生活、興趣、嗜好之間，取得最佳平衡。 | □ | □ |

本單元檢核表設計：杜惠英

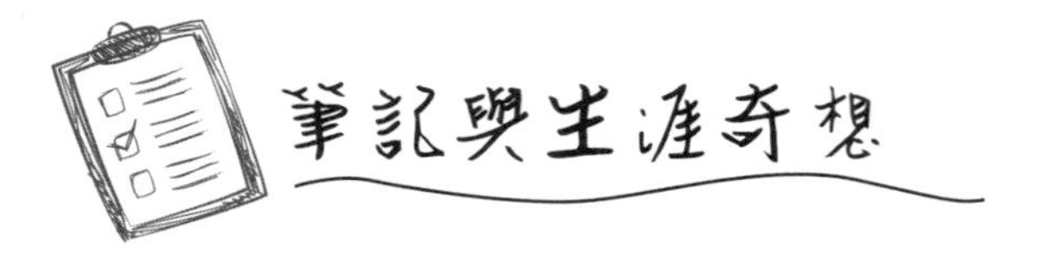
筆記與生涯奇想

# 第5編 生涯管理

## 5-A-1 時間管理：瞭解你的時間管理

**說明：**

1. 現代人所面對的重大壓力之一是時間管理，總覺得工作做不完，時間總是不夠用，永遠被時間追著跑。
2. 如何運用寶貴的時間，成為時間的主人。如何著手？檢視一下下列哪一個敘述，與你目前的情況相符？

### 一、時間管理評估

下列的敘述請依你個人的真實情況，在相符的欄位中打「✓」：

| | 經常 | 偶而 | 不曾 | 不確定 |
|---|---|---|---|---|
| 1. 遲到 | ☐ | ☐ | ☐ | ☐ |
| 2. 不知道自己此刻應該做什麼 | ☐ | ☐ | ☐ | ☐ |
| 3. 錯過和他人的約會 | ☐ | ☐ | ☐ | ☐ |
| 4. 在工作截止前趕工 | ☐ | ☐ | ☐ | ☐ |
| 5. 未能遵守期限 | ☐ | ☐ | ☐ | ☐ |
| 6. 拖延工作期限 | ☐ | ☐ | ☐ | ☐ |
| 7. 時間不夠用 | ☐ | ☐ | ☐ | ☐ |
| 8. 無法掌握完工時間 | ☐ | ☐ | ☐ | ☐ |
| 9. 永遠處於匆促的狀態 | ☐ | ☐ | ☐ | ☐ |
| 10. 忽略自己該做的工作 | ☐ | ☐ | ☐ | ☐ |

如果你對以上敘述的答案，都是「不曾」，那表示，你對時間管理的概念與實行的狀況非常好。你覺得這樣就可以了嗎？還是有其他可以繼續改進的地方？

如果你對上述的答案，有部分是「不確定」，那表示，你似乎不太瞭解自己對時間管理的狀況。不妨和熟識你的朋友談談，並且瞭解他們對你在時間管理上的看法與建議。

如果你對上述敘述的答案，都是「經常」或「偶而」，那表示，你的時間管理可能出現問題了，請利用下列的活動，找出可能影響的原因。

## 二、時間管理的原則

### （一）理論

1. 時間效能的倍率多定律。 2. 記憶與遺忘率在時間管理的應用。

### （二）時間管理的步驟與工具（Time Management Tools）

- 第一步：認識時間／時間的長相（大塊／片段／破碎）／時間的結構（人生總長觀點）Time analysis － Knowing how you use time Knowing what time
- 第二步：計算時間成本 Finding out how much your time is worth － Costing Your Time
- 第三步：決定工作的優先序 Making sure you concentrate on the right things － Deciding Work Priorities
- 第四步：時間活動全紀錄 Checking how you really spend your time － Activity Logs
- 第五步：行動計畫 SMART 的小目標 Planning to solve a problem － Action Plans
- 第六步：重要的優先 Tackling the right tasks first － Prioritized To Do Lists

## 三、實作

### （一）時間分析

1. 請以個人最典型的一日活動進行時間流水帳記錄，並將活動進行分類。
2. 活動內容應以事實為主：如「在教室上課」可能表面上是 2 小時，事實上是最前面 10 分等候，15 分睡覺，其後是不專心地漫想。記流水帳時，不要寫「上課」2 小時，這 2 個小時的實際應用，應寫「等待 10 分」（耗損／或人際）、「睡覺 15 分」（維生）、「發呆 30 分」（耗損）、「認真上課 40 分」（精進）、「聊天 10 分」（人際），因為上課學習歸類為「精進時間」，但實際上並非精進 2 小時。

| 一日活動時間流水帳 | | | | | |
|---|---|---|---|---|---|
| 時間起迄 | 時：分 | 類別 | 時間起迄 | 時：分 | 類別 |
| | | | | | |

**備註：**時間的類別：1. 維生 2. 精進 3. 交通 4. 人際 5. 娛樂 6. 耗損

**3. 時間分類方法：**

(1) 維生：維持生活運作所必需的活動。

(2) 精進：有意圖使個人的能力狀態提升的活動。

(3) 交通：兩地異動所需時間（如散步去用餐）。

(4) 人際：以維護人與人關係為目的的活動。

(5) 娛樂：以取樂為目的的活動。

(6) 耗損：無法歸入以上各類，沒有目標的活動及時間流逝。

## 四、時間分析與重組

（一）人生時間結構重組的示意：72 歲（每日 1 小時等於一生的 3 年）。

（二）24 小時之比率，並繪製成圓餅圖。從 12 點鐘方向，依時間應用的六類別畫出。

（三）1-6 類的時間結構圖（例圖如下）。

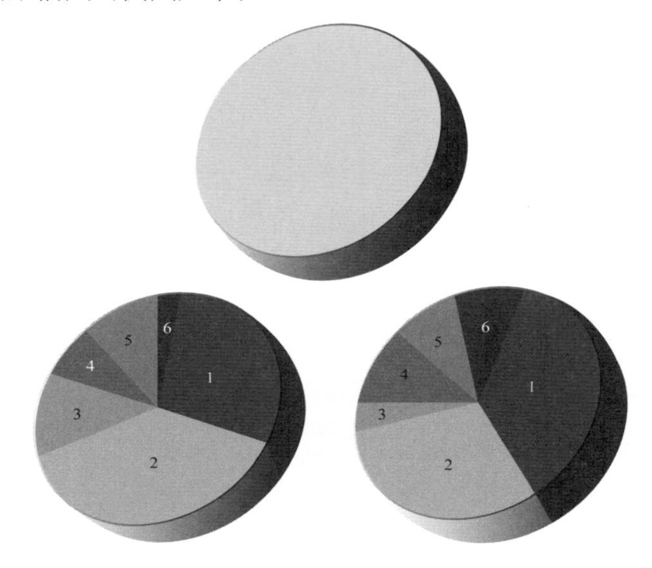


## 五、時間優先序的設定

（一）從時間使用的優先序來看，所有的活動有兩個向度——重要／緊急；所有的事情，都在這四類活動中：

1. 重要並且緊急：這是危機任務（忘了關上的暖爐，準時出貨給等候的顧客）。
2. 重要但不緊急：這是生命中有價值的事（家人生日、事業伙伴的聯誼）。
3. 緊急但不重要：這可能是日常事務（如繳停車費）。
4. 既不緊急又不重要：這是雜亂瑣事（如換棉被套）。

（二）時間與活動的安排優先序：1 ＞ 2 ＞ 3 ＞ 4。

資料來源：許雅惠（主編）（2012）。**生涯與職能發展—自我評估與量表手冊**。臺北：寂天出版社。

# B 目標管理

## 5-B-1 個人目標管理練習

**說明：**

1. 你要認識生涯十二領域。
2. 目標管理的步驟：
   (1) 區別「需要」與「想要」。
   (2) 設定優先序。
   (3) 目標時程化：長程目標／中目標／小目標。
   (4) 進行目標分析。
   (5) 什麼是有效目標：具 SMART 特性。
   (6) 製作時序及任務清單。

### 一、實作練習：我想要一個溫馨的家

**步驟 I：目標的時程與分類，是一個長期的大目標。**

**步驟 II 評估：這種想法是一個無效目標（無法轉換為行動）。**

一個溫馨幸福的家
（大目標）
（無效目標）

### 二、進行目標管理的方法

**步驟 III：進行目標分析，一個溫馨的家，有什麼記號或條件？**

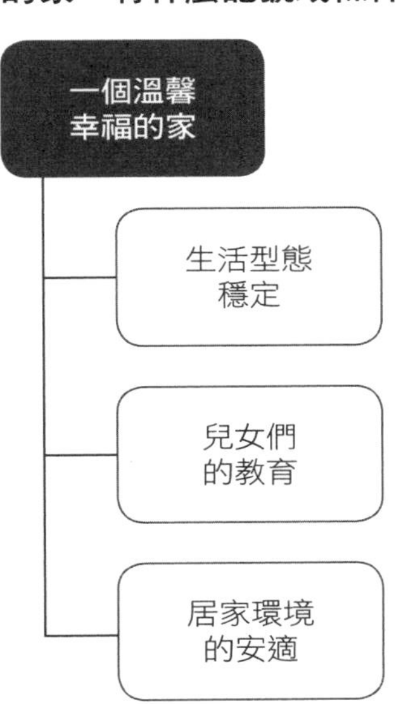

**步驟 IV：大目標分析為三個中目標，每個中目標分析為三個小目標。**

**步驟 V：每個小目標的敘寫，必須符合 SMART 要件。**

## 三、SMART 目標管理原則

（一）一種快速有效的目標設定方法，能保證目標表述的明晰精準和操作方案的客觀可行。

（二）其中的每一個英文字母都代表著一個要點，是制定工作目標時必須謹記的要點。

（三）SMART 五項具體內容如下：

S 即 Specific ，代表具體明確的；

M 即 Measurable ，代表可度量量化的；

A 即 Attainable ，代表可實際實現的；

R 即 Relevant ，代表有相關性的；

T 即 Time-based ，代表有時限的。

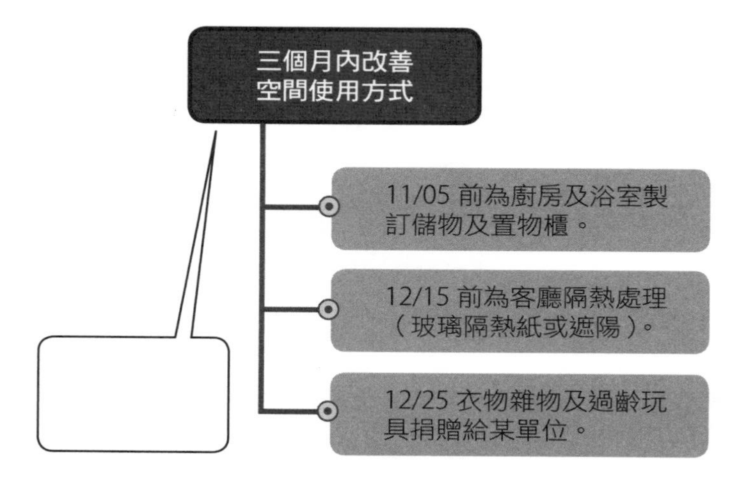


**步驟 VI：訂出工作時序表，開始進行 SMART 方案的行動。**

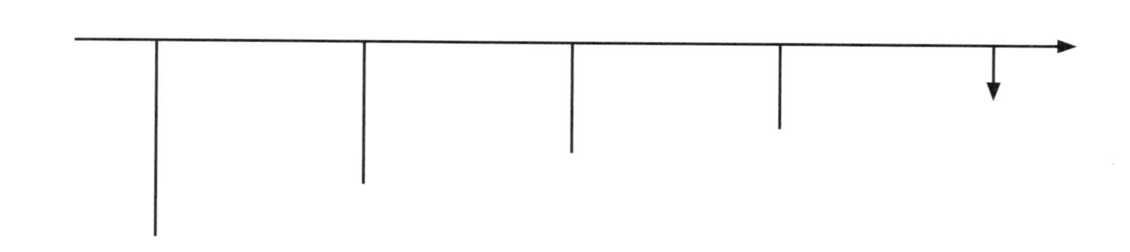

## 四、作業

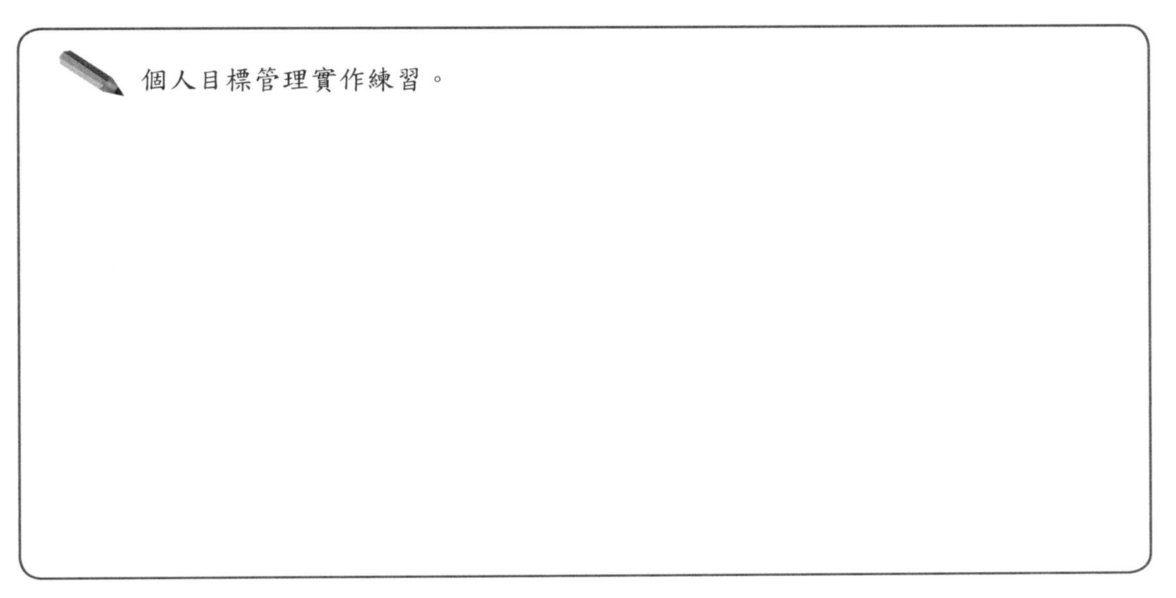


1. 寫下一個自己一個夢想（大目標）。
2. 練習目標分析，一個大目標改寫為三個中目標。
3. 每個中目標寫成 SMART 特性的三個行動方案。
4. 完成時序行動表。
5.

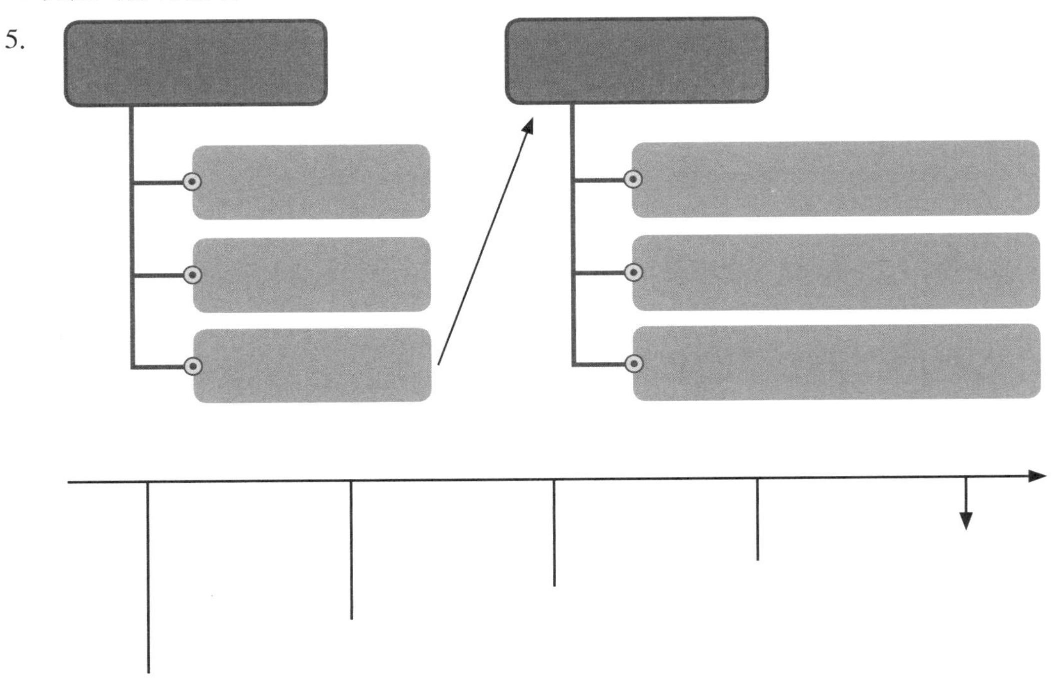

資料來源：許雅惠（主編）（2012）。**生涯與職能發展－自我評估與量表手冊**。臺北：寂天出版社。

# C 關係管理

## 5-C-1 人際互動風格

**說明：**

每一題有四個選項，選 1. 即 1 分，2. 即 2 分以此類推，進行加總分別算出 A 及 B 指標的總分，再將 A 及 B 總分標示在座標中。

**A、行為果斷力指標**

| | |
|---|---|
| **與別人談話時**<br>1. □ 很少用目光注視別人。<br>2. □ 稍有注視別人，目光和緩。<br>3. □ 比較喜歡注視別人。<br>4. □ 時時注視別人，目光敏銳。 | **決定事情時**<br>1. □ 相當優柔寡斷，常有難以決定的現象。<br>2. □ 稍有優柔寡斷。<br>3. □ 偶而有猶豫，大多明快。<br>4. □ 當機立斷。 |
| **平時行動**<br>1. □ 動作慢且謹慎仔細。<br>2. □ 動作稍慢。<br>3. □ 動作迅速。<br>4. □ 動作非常迅速，作風明快。 | **處理較重要的決定時**<br>1. □ 小心翼翼，很不喜歡冒風險。<br>2. □ 儘管偶有明快的決定。<br>3. □ 比較願意冒險。<br>4. □ 積極進取，甘冒風險。 |
| **在提出要求或表示意見時**<br>1. □ 絕少要求別人，不好意思表示意見。<br>2. □ 偶有要求或示意，然而態度相當和緩。<br>3. □ 會正襟危坐些，一派正經的樣子。<br>4. □ 習慣正襟危坐身體向前傾。 | **要別人做決定時**<br>1. □ 不會催促別人。<br>2. □ 不太會催促別人。<br>3. □ 會催促別人。<br>4. □ 頻頻催促別人施加壓力。 |
| **與人交往**<br>1. □ 皆由別人採取主動。<br>2. □ 較不主動，偶有主動的行為。<br>3. □ 比較主動，常有主動的行為。<br>4. □ 喜歡採取主動。 | **在開會時**<br>1. □ 經常只列席聽別人發言，除非被指名否則不發言。<br>2. □ 不太發表意見，說話速度慢，語氣平和。<br>3. □ 適時發表意見。<br>4. □ 常發表意見、說話快、嗓門大。 |
| **討論問題時**<br>1. □ 習慣於請教別人。<br>2. □ 傾向於向別人請教。<br>3. □ 會主動告訴別人一些有關事情。<br>4. □ 喜歡告訴別人事情。 | **在發表意見，提出要求和下命令時**<br>1. □ 多為試探語氣，氣勢弱。<br>2. □ 傾向於請求別人配合幫忙。<br>3. □ 比較喜歡用強調語氣。<br>4. □ 氣勢強，一副理直氣壯的架勢。 |
| | **A 總分：__________** |

## B、行為反應力指標

| 平時與人談話時 | 處理事務時 |
|---|---|
| 1. □ 很少用手勢。<br>2. □ 偶而用手勢。<br>3. □ 常用手勢。<br>4. □ 經常用手勢，而且動作大。 | 1. □ 只重任務的達成不講人情。<br>2. □ 比較重視任務的達成，不太注重人情。<br>3. □ 重視人情世故及和諧關係。<br>4. □ 非常注重人情世故的考量。 |
| **平常舉止行為** | **對閒聊、開玩笑、軼聞趣事** |
| 1. □ 相當拘謹。<br>2. □ 稍稍拘謹。<br>3. □ 較為自然。<br>4. □ 非常灑脱自然。 | 1. □ 一點兒也不感興趣。<br>2. □ 不太感興趣。<br>3. □ 稍感興趣。<br>4. □ 很感興趣。 |
| **平時生活態度** | **決定事情時** |
| 1. □ 嚴謹自律。<br>2. □ 稍偏嚴謹。<br>3. □ 較輕鬆閒逸。<br>4. □ 玩樂活動不少。 | 1. □ 完全根據事實，不受感情左右。<br>2. □ 較能根據事實，偶而也受感情影響。<br>3. □ 會受感情影響。<br>4. □ 很容易受感情左右。 |
| **平時言談** | **對時間的運用** |
| 1. □ 很保守，臉上表情少。<br>2. □ 稍稍保守，臉上表情不多。<br>3. □ 較為隨和，臉上表情自然。<br>4. □ 很親切，臉上表情豐富。 | 1. □ 非常重視，很有效率。<br>2. □ 還算重視。<br>3. □ 並不太在意，工作能完成即可。<br>4. □ 不曾想過這個問題，覺得沒必要生活太緊張。 |
| **情感的表達方面** | **交朋友方面** |
| 1. □ 嚴格地控制自己的情緒與感情流露。<br>2. □ 稍微控制感情的流露。<br>3. □ 能適度自在地表達感情。<br>4. □ 情感表達率真生動。 | 1. □ 相當有選擇性的交往。<br>2. □ 有部分選擇性的交往。<br>3. □ 大部分都不排斥，可以交往。<br>4. □ 喜歡交各式各樣朋友。 |
| | **B 總分：＿＿＿＿＿＿** |

**請填出自己的象限：**

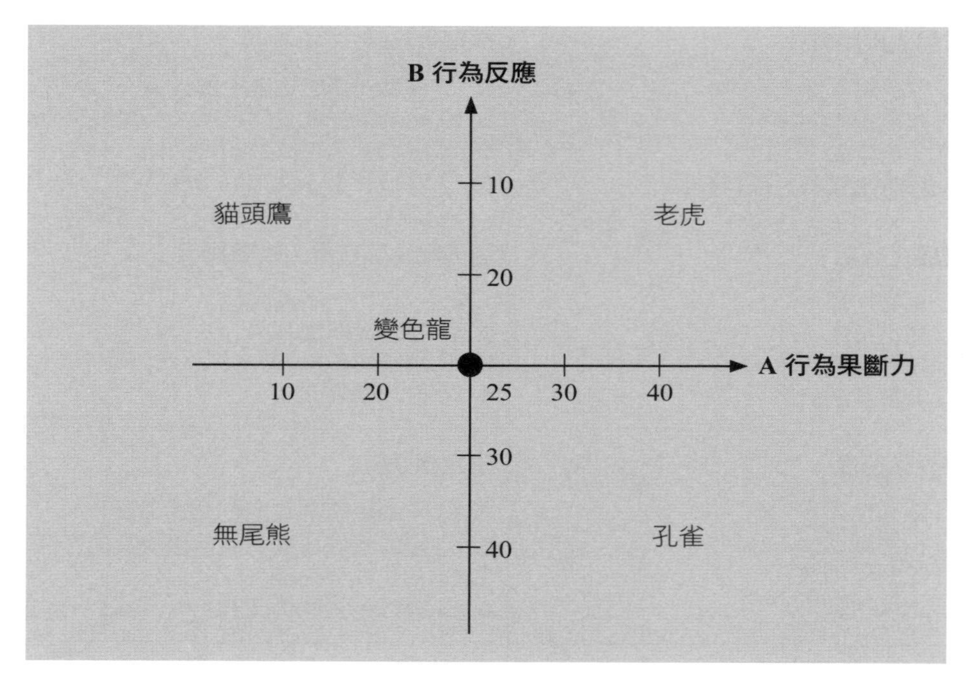


資料來源：國立體育大學數位學習平台。人際風格測驗。取自 https://eeclass.ntsu.edu.tw/sysdata/doc/f/f2a9807fde839f66/pdf.pdf

## 5-C-2 領導力評估

成功的領導者提供團體一個共同的遠景，並且能激勵其他的成員，努力奉獻個人的價值，達到成功的目標。而領導者應具備的領導特質有哪些？也許你尚未成為一個領導者，請模擬一下，你當選了學生會會長（或社團幹部），你會如何運作讓學生會經營的有聲有色？你是否已準備好？試試看下列的自我省思。來幫助我們釐清一個優秀領導者應具備的特質。

| 領導能力 | |
|---|---|
| 1. 你認為成功的領導者應具備什麼樣的行為、態度和溝通方式？ | |
| 2. 哪一種對領導能力的比喻，最能夠激勵團體的成員們，使他們變得更積極主動、值得信賴？ | |
| **領導團隊朝夢想前進** | |
| 3. 什麼樣的願景，最能夠激勵其他人一起努力？ | |
| 4. 你的價值觀對你在領導能力方面的興趣，造成什麼樣的影響？ | |
| 5. 你的價值觀如何幫助，或阻礙你成為一個領導者？ | |
| **使用策略** | |
| 6. 如果你是學生會會長，你有哪些規劃策略，讓學生會更茁壯成長？ | |
| 7. 你具有哪些可以為個人或團體擬訂策略的技能？ | |
| **鼓勵他人** | |
| 8. 你會如何去注意到每個人的努力與付出？ | |
| 9. 你會對每個人的付出心懷感激？ | |
| 10. 你將如何適才適用，也讓所有人瞭解每個人適合的工作部分？ | |
| 11. 你覺得個人工作會對整體有什麼樣的影響？ | |
| 12. 你會以什麼樣的方式，公平、謙恭、貼心地對待所有成員？ | |
| 13. 你會鼓勵成員提供個人意見嗎？並給予成員們發表意見的機會？ | |
| 14. 你同意成員們參與籌劃與設定階段性目標的機會嗎？其優缺點？ | |
| 15. 你覺得在團體中允許個人發展空間的利弊是什麼？ | |

| 說明對成員的期望 | |
|---|---|
| 16. 你會對每個人清楚的説明預期的目標？還是不説也應該知道？ | |
| 17. 你會讓成員清楚的知道團隊合作的必要性及團體的基本規範？ | |
| 18. 你會如何讓每個人都清楚的知道應達成的目標為何？ | |
| 19. 你如何讓你的成員安心工作？ | |
| **確定團體的運作** | |
| 20. 如果要擔任領導的位置，你認為團體工作中的哪一個部分最容易帶領？ | |
| 21. 你在何時或何處擔任過領導的位置？ | |
| 22. 如果你缺乏領導的經驗，你可以為自己製造哪些機會，以增加這方面的經驗？ | |
| **擔負責任** | |
| 23. 當你的成員在工作中發生了重大失誤，影響整個團隊，身為領導者是否願意承擔責任？ | |
| 24. 如果你背負了所有責任感覺會如何？ | |
| 25. 這個經驗對你在處理其他事情上有什麼幫助？ | |
| **展現良好的人際技巧** | |
| 26. 好的領導者在團體中除了指揮大局，也應是協商者，所以人際技巧也是很需要學習的？ | |
| 27. 你覺得自己哪些人際技巧有待改善？ | |

資料來源：許雅惠（主編）(2012)。**生涯與職能發展－自我評估與量表手冊**。臺北：寂天出版社。

# D 情緒管理

## 5-D-1 EQ 情緒管理

1. EQ（情緒智商）是由高曼（Goleman, 1995）在《EQ》這本書所提出來的，書中提到人生的成就至多只有 20% 歸諸 IQ ，80% 則受其他因素影響。
2. EQ 高的人對自己有信心，又能同理別人並具有積極的思考傾向，在人際關係、兩性交往、事業生涯及生活上，都較容易成功並感到滿足。
3. EQ 內涵有 (1) 認識情緒的作用 (2) 掌握自我情緒及 (3) 管理他人情緒管理等三面向。
4. 先認識情緒的定義／情緒的形成／情緒的 333 種。
5. 以下的 EQ 測量表，看看自己可以得幾分？哪裡需要再加強？

### 一、寫出過去一週，你所經歷的各種情緒。

### 二、可以 4 人一組先分享，彼此提醒。個人記下一週的各種事件及情緒。

| 由於……環境人事物的變動…… | 我感到……（形容詞） |
|---|---|
| | |
| | |
| | |
| | |
| | |
| | |
| | |
| | |
| | |

## 三、情緒管理能力評量表

1. 下面的評量，可以幫助你檢測你的情緒智商。
2. 不是一個科學試驗，我們的情緒不可能輕易地就從這樣的問卷中被解讀出來，但這是經過組織結構化的活動，也是可以用來反映你個人情緒生活的一個好機會。
3. 答案「一向如此」= 4 「經常」= 3 「偶而」= 2 「不曾」= 1 「不確定」= 0

| A 情緒管理（自我部分） | 一向如此 4 分 | 經常 3 分 | 偶而 2 分 | 不曾 1 分 | 不確定 0 分 |
|---|---|---|---|---|---|
| 1. 我知道自己當下的情緒。 | ☐ | ☐ | ☐ | ☐ | ☐ |
| 2. 我很清楚自己的感覺。 | ☐ | ☐ | ☐ | ☐ | ☐ |
| 3. 我允許自己體驗真實的感覺。 | ☐ | ☐ | ☐ | ☐ | ☐ |
| 4. 我注意自己的感受。 | ☐ | ☐ | ☐ | ☐ | ☐ |
| 5. 我可以說出自己的感覺。 | ☐ | ☐ | ☐ | ☐ | ☐ |
| 6. 我會告訴他人自己的感受。 | ☐ | ☐ | ☐ | ☐ | ☐ |
| 7. 我為自己的情緒負責。 | ☐ | ☐ | ☐ | ☐ | ☐ |
| 8. 我知道引起我情緒變化的原因。 | ☐ | ☐ | ☐ | ☐ | ☐ |
| 9. 我不會因情緒而影響正常的反應。 | ☐ | ☐ | ☐ | ☐ | ☐ |
| 10. 我會依環境表達適度的情緒。 | ☐ | ☐ | ☐ | ☐ | ☐ |
| 11. 我會用正面的態度來面對情緒，而不是激動或被動的方式。 | ☐ | ☐ | ☐ | ☐ | ☐ |
| 12. 我知道自己的情緒被壓抑了。 | ☐ | ☐ | ☐ | ☐ | ☐ |
| 13. 如果可以，我會在事後找機會發洩自己的情緒。 | ☐ | ☐ | ☐ | ☐ | ☐ |
| 14. 我知道自己情緒會影響到我表現的模式。 | ☐ | ☐ | ☐ | ☐ | ☐ |
| 15. 我經常跟我信任的人討論我的感受。 | ☐ | ☐ | ☐ | ☐ | ☐ |
| 16. 我可以左右自己的情緒。 | ☐ | ☐ | ☐ | ☐ | ☐ |
| 17. 我允許自己可以感覺自己的渺小或脆弱。 | ☐ | ☐ | ☐ | ☐ | ☐ |
| 18. 如果需要時，我會讓自己落淚。 | ☐ | ☐ | ☐ | ☐ | ☐ |
| 19. 我會讓自己從某個環境中抽離，以表達自己真正的情緒。 | ☐ | ☐ | ☐ | ☐ | ☐ |
| 20. 我可以察覺周圍的人如何影響自己的情緒。 | ☐ | ☐ | ☐ | ☐ | ☐ |
| 總分 | | | | | |

| B 情緒管理（他人部分） | 一向如此<br>4 分 | 經常<br>3 分 | 偶而<br>2 分 | 不曾<br>1 分 | 不確定<br>0 分 |
| --- | --- | --- | --- | --- | --- |
| 1. 我知道別人當下的情緒。 | ☐ | ☐ | ☐ | ☐ | ☐ |
| 2. 我可以察覺別人的感覺。 | ☐ | ☐ | ☐ | ☐ | ☐ |
| 3. 我允許別人體驗真實的感覺。 | ☐ | ☐ | ☐ | ☐ | ☐ |
| 4. 我注意別人的感受。 | ☐ | ☐ | ☐ | ☐ | ☐ |
| 5. 我可以說出別人的感覺。 | ☐ | ☐ | ☐ | ☐ | ☐ |
| 6. 我會和他人討論他們的感受。 | ☐ | ☐ | ☐ | ☐ | ☐ |
| 7. 當別人在鬧情緒時，我不隨之起舞，只為自己的情緒負責。 | ☐ | ☐ | ☐ | ☐ | ☐ |
| 8. 我知道影響我周圍人們情緒變化的原因。 | ☐ | ☐ | ☐ | ☐ | ☐ |
| 9. 我知道自己對他人情緒的反應。 | ☐ | ☐ | ☐ | ☐ | ☐ |
| 10. 我允許別人適度地表達他們的情緒。 | ☐ | ☐ | ☐ | ☐ | ☐ |
| 11. 當他人鬧情緒或激動時，我會用正面的態度來面對。 | ☐ | ☐ | ☐ | ☐ | ☐ |
| 12. 我可以察覺他人壓抑的情緒。 | ☐ | ☐ | ☐ | ☐ | ☐ |
| 13. 我會製造機會，讓別人可以發洩情緒。 | ☐ | ☐ | ☐ | ☐ | ☐ |
| 14. 我可以察覺別人的情緒是否對我造成影響。 | ☐ | ☐ | ☐ | ☐ | ☐ |
| 15. 我經常傾聽熟識的親友談論他們的感受。 | ☐ | ☐ | ☐ | ☐ | ☐ |
| 16. 我可以控制自己在團體中表達情緒的方式。 | ☐ | ☐ | ☐ | ☐ | ☐ |
| 17. 我允許他人感到自己渺小或脆弱。 | ☐ | ☐ | ☐ | ☐ | ☐ |
| 18. 當別人哭泣時，我可以坦然面對。 | ☐ | ☐ | ☐ | ☐ | ☐ |
| 19. 我可以理解他人可能必須從某個環境中抽離，以表達自己真正的情緒。 | ☐ | ☐ | ☐ | ☐ | ☐ |
| 20. 我可以察覺到自己情緒對周圍的人所造成的影響。 | ☐ | ☐ | ☐ | ☐ | ☐ |
| **總分** | | | | | |

| C 情緒的作用 | 一向如此<br>4 分 | 經常<br>3 分 | 偶而<br>2 分 | 不曾<br>1 分 | 不確定<br>0 分 |
|---|---|---|---|---|---|
| 1. 即使別人不認同，我仍能坦然面對。 | □ | □ | □ | □ | □ |
| 2. 我允許別人有自己的意見。 | □ | □ | □ | □ | □ |
| 3. 我不需要向他人發洩，我可以自己感受憤怒的情緒。 | □ | □ | □ | □ | □ |
| 4. 我可以不帶憤怒地接受批評。 | □ | □ | □ | □ | □ |
| 5. 我可以大聲地說出自己的想法。 | □ | □ | □ | □ | □ |
| 6. 即使情況很糟，我仍然可以保持正面態度。 | □ | □ | □ | □ | □ |
| 7. 我允許自己感受悲傷，並且接納它為我真實的感受。 | □ | □ | □ | □ | □ |
| 8. 我能夠做出決定，並且實踐它。 | □ | □ | □ | □ | □ |
| 9. 在我採取任何行動前，我會先停下來評估情況。 | □ | □ | □ | □ | □ |
| 10. 和來自不同背景的人一起工作不會讓我覺得不自在。 | □ | □ | □ | □ | □ |
| 11. 我欣賞周遭的人所擁有的不同特質。 | □ | □ | □ | □ | □ |
| 12. 我會大聲地說出我認為是對的事。 | □ | □ | □ | □ | □ |
| 13. 當我需要幫忙時，我會求助於他人。 | □ | □ | □ | □ | □ |
| 14. 我可以坦然地面對自己的情緒，而不需要依靠大吃大喝或藥物和菸酒。 | □ | □ | □ | □ | □ |
| 15. 在危急時，我仍能保持冷靜。 | □ | □ | □ | □ | □ |
| 16. 我可以察覺自己的行為是不合宜的，並且就此停止。 | □ | □ | □ | □ | □ |
| 17. 我可以面對，並且掌握不確定性。 | □ | □ | □ | □ | □ |
| 18. 即使在壓力下，我仍然可以控制自己的情緒。 | □ | □ | □ | □ | □ |
| 19. 我為自己所做的事負責。 | □ | □ | □ | □ | □ |
| 20. 我勇於承擔錯誤，並為自己的過失道歉。 | □ | □ | □ | □ | □ |
| 總分 | | | | | |

**分析：**

| | |
|---|---|
| A 情緒管理（自我部分） | 〔　　〕分 |
| B 情緒管理（他人部分） | 〔　　〕分 |
| C 情緒的作用 | 〔　　〕分 |
| 總分 | 〔　　〕分 |

150-200 分。這表示你對情緒管理非常有一套。你不但能夠管理自己的情緒，也能妥善地面對他人的情緒；你能做出具有高度情緒智商的反應。你的高度情緒智商，讓你在各種情況下都能因應得宜。

100-149 分。這是一個很棒的分數。表示你在情緒管理上有良好的基礎，可以進一步地訓練自己的情緒反應。高度的情緒智商可以讓你在大多數的場合中因應得宜，因此，這方面的訓練是非常值得多加嘗試的。看看那些得分較高的項目，它們可以告訴你，你的優勢在哪裡；至於那些得分較低的部分，試著找出它們是否具有共同的特質。特別注意，三個項目中是否有某一個的分數遠低於其他兩個，這可以為你的情緒訓練工作找出首要改進的部分。

50-99 分。如果你才剛進大學，這算是個合理的分數。不過，這也表示你在學習情緒管理的技巧上，還有很大的進步空間。如果你將自我情緒管理列為首要改進的項目，那麼你可以從中受益良多。找出你最具優勢的部分，哪些是最能幫助你處理各種狀況的？看看那些得分較低的項目，哪一類和你的目標最為相關？找出首要改進的部分。

0-49 分。你可能面臨了一個真正的挑戰。不過，別忘了這並不是一個精確的科學試驗。情緒智商包含了太多項目，而你所擅長的部分可能未列在這個問卷當中。舉例來說，有些人非常擅於處理危機，但在上述問卷中關於危機處理的部分，卻只列了一個項目；某些人可能非常擅長和特定族群的人相處，如小孩、老人或病人，但在這問卷中卻未提到相關的題目。除此之外，在做這樣的自我評估時，你也可能低估了自己的能力，以至於得到這樣的分數；另一方面，你可能真的覺得情緒是一個很微妙的世界，也許你認為，很多時候別人都誤解你了。其實你並不是唯一一個有這種感覺的人，但是你不需要一直沉浸在這樣的想法中。情緒智商是可以訓練的，大學裡的學生服務中心可以提供你一些有效的建議，而且如果你不希望別人知道的話，他們也可以幫你保守秘密。

資料來源：許雅惠（主編）（2012）。**生涯與職能發展－自我評估與量表手冊**。臺北：寂天出版社。

# E 態度管理

## 5-E-1 日常行為檢核

**說明：**

為什麼努力工作卻不獲提拔？我還欠缺什麼？或主管和我的想法有差距？彙整各行業主管對員工的行為觀察及解讀。

針對下述七項職場主管觀察指標，你認為如何從大學階段（學校或工讀各個生活面向）即養成正確的生活態度及行為，請逐一列舉。

| 項目 | 正確生活態度及行為 |
| --- | --- |
| 1. 開會習性 | |
| 2. 回覆速度 | |
| 3. 主動性 | |
| 4. 邏輯思考 | |
| 5. 可塑性 | |
| 6. 格局 | |
| 7. 自制力 | |

**檢核主管對你的七項觀察：**

1. **開會習性：開會、上課抵達時間及自由選座位的小動作**

「會坐第一排、且勤於做筆記的人，一定是認真努力、學習動機比較強的人。」

「開會時，最怕那種沒意見、只是形式參與的人。這種人對工作肯定不用心，所以才會完全沒想法。」

「開會時，就算講到與自己不相關的事，仍會積極參與的員工，就表示此人有開放心態，未來成長潛力較大。」

2. **回覆速度：休假也聯繫得上、5 分鐘內聯繫上員工**

「主管與部屬關係好不好，就是一句『信不信得過』。信賴非常重要！別讓主管老是找不到你。當主管主動找你時，一定是他最需要你的時候。」

「長期印象累積下來，主管心裡會有個底，當他需要時，哪些員工總是能夠隨時待命，由此建立他的信任名單。」

「這是一種考驗，如果休假中還會接公司電話或回簡訊，表示很有責任心，老闆第一個想升的一定就是這種人！」

3. **主動性：向上溝通、隨時回報進度**

「大部分員工都很害怕與主管講話，躲得愈遠愈好。事實上，如果被動等到主管追問進度時，主管沒說出口心裡話：你怎麼讓我這麼不放心，還要追著你問進度？」

「88% 主管希望員工主動回報工作進度。向上溝通，是一門很重要的學問，決定員工能否被賞識的關鍵。主管觀察的並不是語言技巧，而是員工是否值得信賴。」

4. **邏輯思考：先確認輕重緩急、勝過埋頭瞎忙**

「老闆最愛透過哪一種情況，來觀察員工表現？答案是：是否完善處理臨時交辦事項，救援投手型的員工加分最多，因為臨危受命還能把事情做好，表示能力禁得起考驗。」

「老闆希望你接到任務時，可以先向他確認工作順序與重點之後，再著手進行。如果滿口答應、逕自去做，他反而默默擔心：真的沒問題嗎？」

「說得太好，主管的期待值被大幅提高，當結果出來，即使還有 80 分，主管卻會覺得只有 60 分，因為還要扣掉期待的 20 分。」

5. **可塑性：「垃圾桶哲學」做別人不做的、舉一反三**

「話只說八分，給自己留後路，有轉圜空間；事做十分滿，是讓主管驚豔，建立信任度最有效的方法。」

「遇過一位員工已經辭職，但離職後一個星期，他還是每天到公司上班。一問之下，因為交接工作沒完成，這位員工不放心，繼續來公司。多做一些、不計較心態，所以當自己創業時想到挖角那位員工。」

「當員工能夠舉一反三。主管內心話：我想到的，你都已經幫我做好了；我沒想到的，你也先幫我想到。事情交給你辦，真讓我放心。」

6. **格局：站在他人立場思考、具前瞻遠見**

「員工能否換位思考，可評斷此人是否有擔任主管的條件。若員工只能從個人或自己部門的角度想事情，就不是主管候選人。」

「對主管而言，這種視野正是一種團隊思考與更高的格局。對公司、對主管只會抱怨，卻無法提供更好建議的人，其格局永遠只能停留在由下往上看的基層。」

「我和同儕相比最大不同地方，是我比較會站在主管立場想事情，從勞資雙方取得平衡點。我也常從未來角度思考工作方向，這樣主管會覺得你比其他人更具有前瞻性。」

7. **自制力：遲到是職場大忌、私生活表露人格特質**

「紀律可大可小，大自貪污、收受廠商賄賂，小至上班、開會是否準時。如果以為遲到是惡小而為之，看在主管眼裡，他沒說出口的是：此人紀律不佳，去見客戶也可能遲到，不知哪一天會帶來意外的損失。」

「主管會默默觀察員工生活面，以便更瞭解這個人的人格特質。例如員工搞婚外情，雖屬於私領域，但從主管的角度，會認為這個人無法拒絕誘惑，因此不適合當主管。」

「有些企業文化強調熱愛運動。喜歡泡夜店的員工會被認為是負面的特質。月薪僅有 3 萬元，也沒有富爸爸，卻開著雙 B 跑車，看在主管眼裡，會認為此人浮誇不實在。」

資料來源：燕珍宜、林讓均（2013）。老闆默默觀察你的 33 件事。**今周刊，808 期**。

# 第6編 生涯抉擇

# A 生涯選擇工具與方法

## 6-A-1 職涯導航 UCAN 的應用

**說明：**

1. UCAN（就業職能平台）是教育部為大學青年所提供的職涯應用平台。
2. 平台網址為 https://ucan.moe.edu.tw/Account/Login.aspx

大學期間，你要掌握並應用與自己就業有關的資源。

### 一、職涯類型與就業途徑

（一）UCAN 平台以貼近實務需求的職能為依據，以主計處所公告「中華民國行業標準分類」為主架構，並符合聯合國等規範之國際職業分類標準，依據實際產業概況及專家意見，規劃 16 個職涯類型（career cluster）及 66 個就業途徑（career pathway）。

（二）職涯類型是由同一領域或所需知識技能相近的工作所組成，提供大專校院運用於教學及學習的發展與規劃，有系統的養成在特定就業途徑下相近的知識與技能。

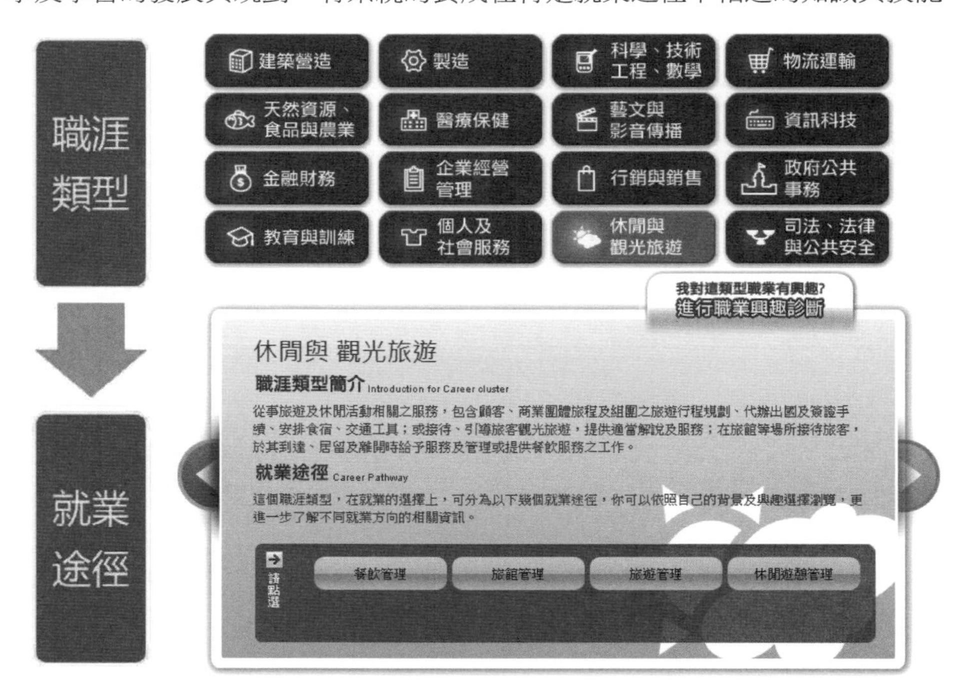


資料來源：教育部（2018）。大專院校就業職能平台。取自 https://ucan.moe.edu.tw/Account/Login.aspx

## 二、共通職能

（一）共通職能，就是無論各種職業別或產業別都需要的通用工作能力。

（二）職能（competency），描述的是在執行某項工作時所需具備的關鍵能力。

（三）UCAN 平台參考國內外之產業職能模型，將職能分為職場「共通職能」與「專業職能」二類，並透過國內外文獻研究及整合各產業專家意見，針對平台上所列的就業途徑，歸納其所需具備的專業職能，並包含知識及技能的描述，做為整體平台診斷、建議、諮詢及輔導所需之內涵依據。

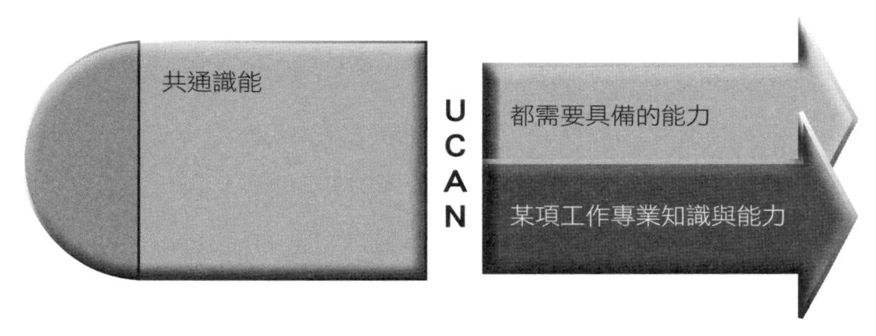


資料來源：教育部（2018）。大專院校就業職能平台。取自 https://ucan.moe.edu.tw/Account/Login.aspx

（四）共通職能：代表從事各種不同的職業類型都需要具備的能力，發展過程透過國內外文獻研究、召開跨產業之產官學專家會議及各領域在職人士大規模問卷調查驗證三個階段產生。

（五）哪些能力是共通職能？溝通表達、持續學習、人際互動、團隊合作、問題解決、創新、工作責任及紀律，以及資訊科技應用，共八大職場共通職能項目及內容。

## 三、專業職能

（一）專業職能的內容發展由各職類產學專家審定。

（二）針對各領域在職人士進行大規模問卷調查，加強內容驗證而產生。

（三）專業職能，是各項就業途徑工作者所需從事的工作任務、工作活動及具體展現的行為。

## 四、作業

請學生上線完成職能評估，並將結果存檔列印紙本帶來上課。

## 五、課程中分組分享，學習看見每個人不同的能力狀態。

## 六、模擬

（一）4 人一組，模擬為任一產業別公司的「人事評選小組」。

（二）每組先設定一個職缺（例如會計或業務員……），並列出徵才的條件（至少五項）。

（三）兩組互換四份職能評估結果，從四份中選出一份最合適於貴公司職缺者。

# B 職業與生活

## 6-B-1 對於一項職業，我該知道什麼？

**說明：**

1. 擁有一張名片不是只有頭銜與收入，選擇一份工作是選擇一個生活型態。
2. 能擁有一張名片，也需要許多的技能及教育訓練及能力預備。
3. 請教師發下一張既有名片／或可請學生自備一張自己未來也很想持有的一類真實名片。
4. 3 至 4 人一組：分組輪流討論，每一張名片的職業訊息可能是什麼？
5. 大家練習下來的問題是「對於一項職業，我想要知道什麼？」
6. 針對你手中的名片，先分組討論 8 分鐘，然後寫下整理（至少寫出十項）。

| | | | | |
|---|---|---|---|---|
| ☐教育程度 | ☐受雇機會 | ☐工作內容 | ☐人際關係 | ☐計薪方式 |
| ☐工作地點 | ☐轉業彈性 | ☐福利措施 | ☐上班時間 | ☐進修機會 |
| ☐工作滿意 | ☐職位等級 | ☐每月收入 | ☐特殊能力 | ☐升遷發展 |
| ☐未來展望 | ☐社會地位 | ☐工作氣氛 | ☐需否執照 | ☐專業知能 |
| ☐工作保障 | ☐工作安全 | ☐投入方式 | ☐工作地點 | ☐個人特質 |
| ☐特殊技能 | ☐口語特性 | ☐責任要求 | ☐區域特性 | ☐交通方式 |
| ☐壓力來源 | ☐領導方式 | ☐工作理念 | ☐工作環境 | ☐考核制度 |

| 我手中的名片<br>產業別： 職業別： 職稱： | |
|---|---|
| 教育訓練<br>（自選十項寫出） | |

**心得：**簡述於本次活動你新的認識與提醒。

本單元教學設計：許雅惠

## 6-C-1 職業訪談作業

**說明：**

1. 本次作業為個人作業。
2. 依據個人擇定未來有興趣從事的行業工作，拜訪一位已經在從事該項工作的人士。進行職業訪談的活動，以增進對行業的認識。

以下有關工作生涯訪問之訪題，可供你訪問時參考。

### 一、職業訪談的問題大綱

1. 個人基本資料（含學、經歷）為何？
2. 從事此行業的人做些什麼？
3. 工作地點為何？
4. 他們使用哪些工具？
5. 工作場所性質有何特徵？
6. 有哪些相關行業？
7. 需要接受哪些訓練？
8. 需要某些特殊的執照或訓練嗎？
9. 需要哪些個人的特質？
10. 學校中的哪些課程會有幫助？
11. 此行業之薪水範圍為何？
12. 此行業之人們，對他所從事工作有何滿意及不滿意之處？
13. 人才供需狀況如何？
14. 科技新技術或任何變動的出現，對此行業影響為何？
15. 此行業是否有任何季節或地理位置性之限制？
16. 該行業的困難及展望？
17. 工作是否對家庭生活有影響？如何影響？
18. 想要轉換行業嗎？可能的轉換方向？
19. 這份工作的人際關係有什麼特性？
20. 這份工作對健康的影響？
21. 這份工作的主要成就感？

### 二、在訪談過程中，在徵得機構負責人允諾下，不妨進行「現場觀察」。

### 三、訪談後個人主要心得 300 字。

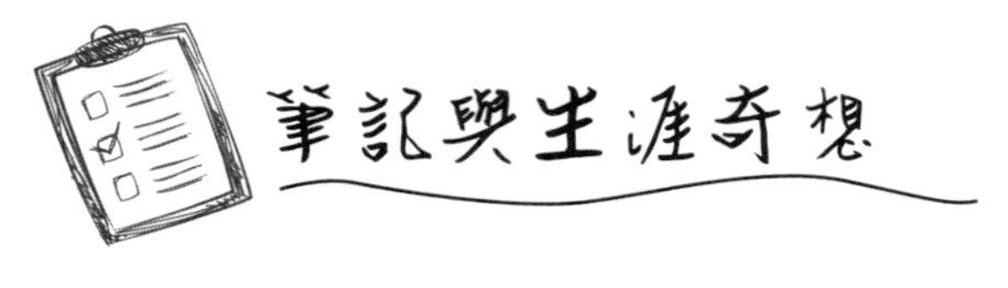
筆記與生涯奇想

# 第7編　就業預備與行動

## 7-A-1 履歷模擬及健診

**說明：**

1. 你要在大學階段就要知道未來履歷如何寫。
2. 請依格式以電子檔完成一份自己的履歷。
3. 一般來說，你的履歷應該能夠適用於大多數的工作機會。然而，當你已經確認某份職務就是你想要的，而且覺得自己也符合對方開出來的條件，你就須將履歷內容稍做調整，好讓你的專長和知識完全符合這份職務的需求。
4. 履歷的內容大綱和呈現方式見「範本：履歷編寫」（第 81-82 頁）。履歷的整體設計是憑個人喜好，但基本上建議你按以下的內容順序開始進行：

| | |
|---|---|
| 1. | 聯絡資料（姓名、地址、電話號碼等） |
| 2. | 個人簡介 |
| 3. | 教育背景 |
| 4. | 關鍵技能 |
| 5. | 其他興趣，以及其餘沒有在履歷前頭提到的個人資料。 |
| 6. | 工作經驗 |
| 7. | 推薦人（可選擇是否提供姓名、職位和聯絡電話，記得事前取得推薦人的同意） |

大多數的雇主會在求職過程的某個階段，要求你提出 1 到 2 位的推薦人。挑選推薦人時務必要謹慎，你和推薦人都必須對彼此有相當的瞭解。你所提供的推薦人必須能對你的學習能力、工作能力、人格特質、社交技巧和興趣，提出某方面或全面的評論。推薦人如果在商業界、學術界或社會上具有一定的聲望或地位，那對於你的推薦就會具有加分效果。填寫推薦人之前，永遠要確認你的推薦人已做好提供資料的準備。務必讓他們知道你現在的進展情況，並記得告知他們結果。這是贏得推薦人讚賞的基本禮貌。你可以善加使用你之前已經整理過的「關係網」，從裡面找出最合適的推薦人。

## 範本：履歷編寫

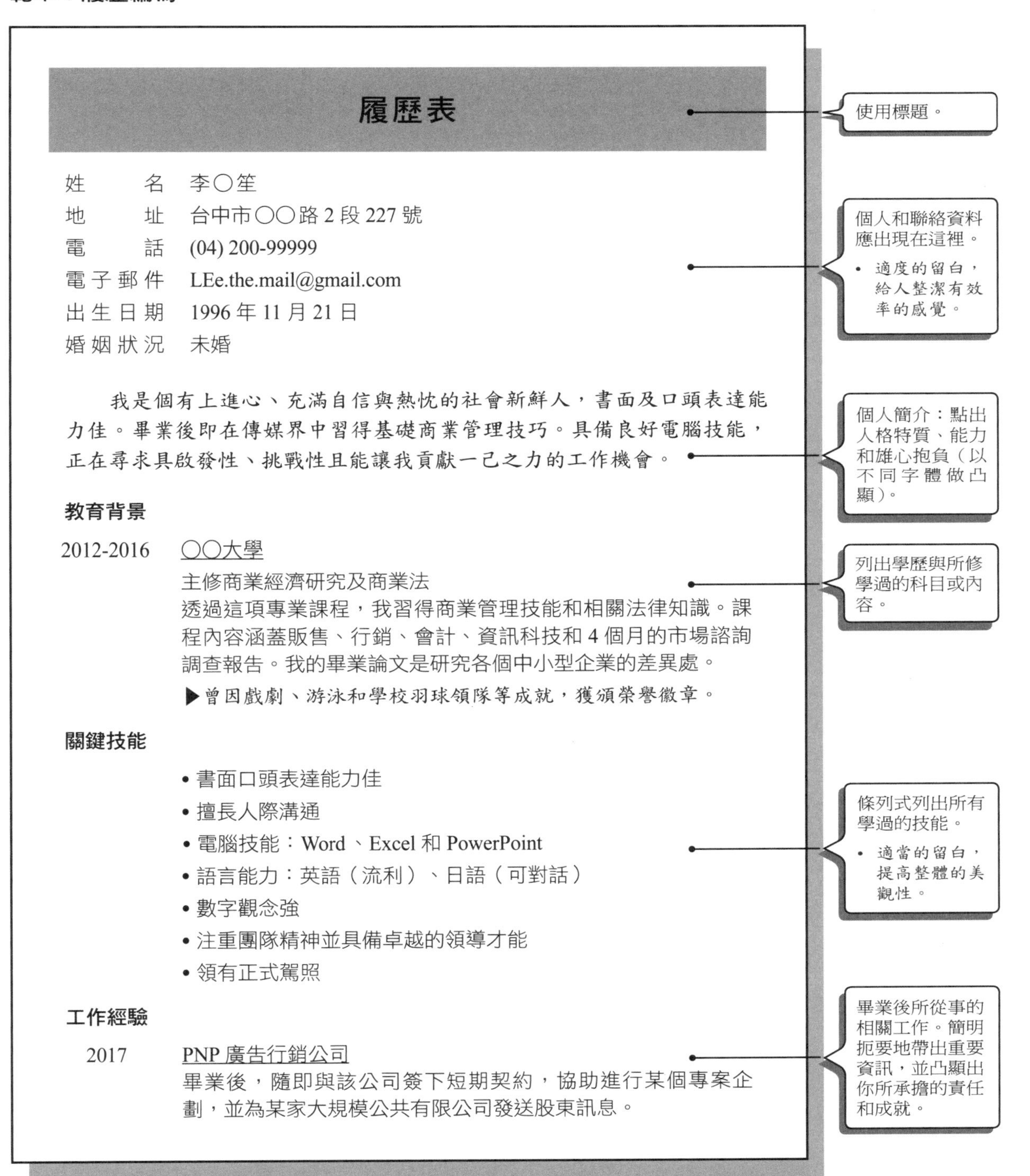

# 履歷表

姓　名　李〇笙
地　址　台中市〇〇路 2 段 227 號
電　話　(04) 200-99999
電子郵件　LEe.the.mail@gmail.com
出生日期　1996 年 11 月 21 日
婚姻狀況　未婚

我是個有上進心、充滿自信與熱忱的社會新鮮人，書面及口頭表達能力佳。畢業後即在傳媒界中習得基礎商業管理技巧。具備良好電腦技能，正在尋求具啟發性、挑戰性且能讓我貢獻一己之力的工作機會。

**教育背景**

2012-2016　〇〇大學
主修商業經濟研究及商業法
透過這項專業課程，我習得商業管理技能和相關法律知識。課程內容涵蓋販售、行銷、會計、資訊科技和 4 個月的市場諮詢調查報告。我的畢業論文是研究各個中小型企業的差異處。
▶曾因戲劇、游泳和學校羽球領隊等成就，獲頒榮譽徽章。

**關鍵技能**

- 書面口頭表達能力佳
- 擅長人際溝通
- 電腦技能：Word、Excel 和 PowerPoint
- 語言能力：英語（流利）、日語（可對話）
- 數字觀念強
- 注重團隊精神並具備卓越的領導才能
- 領有正式駕照

**工作經驗**

2017　PNP 廣告行銷公司
畢業後，隨即與該公司簽下短期契約，協助進行某個專案企劃，並為某家大規模公共有限公司發送股東訊息。

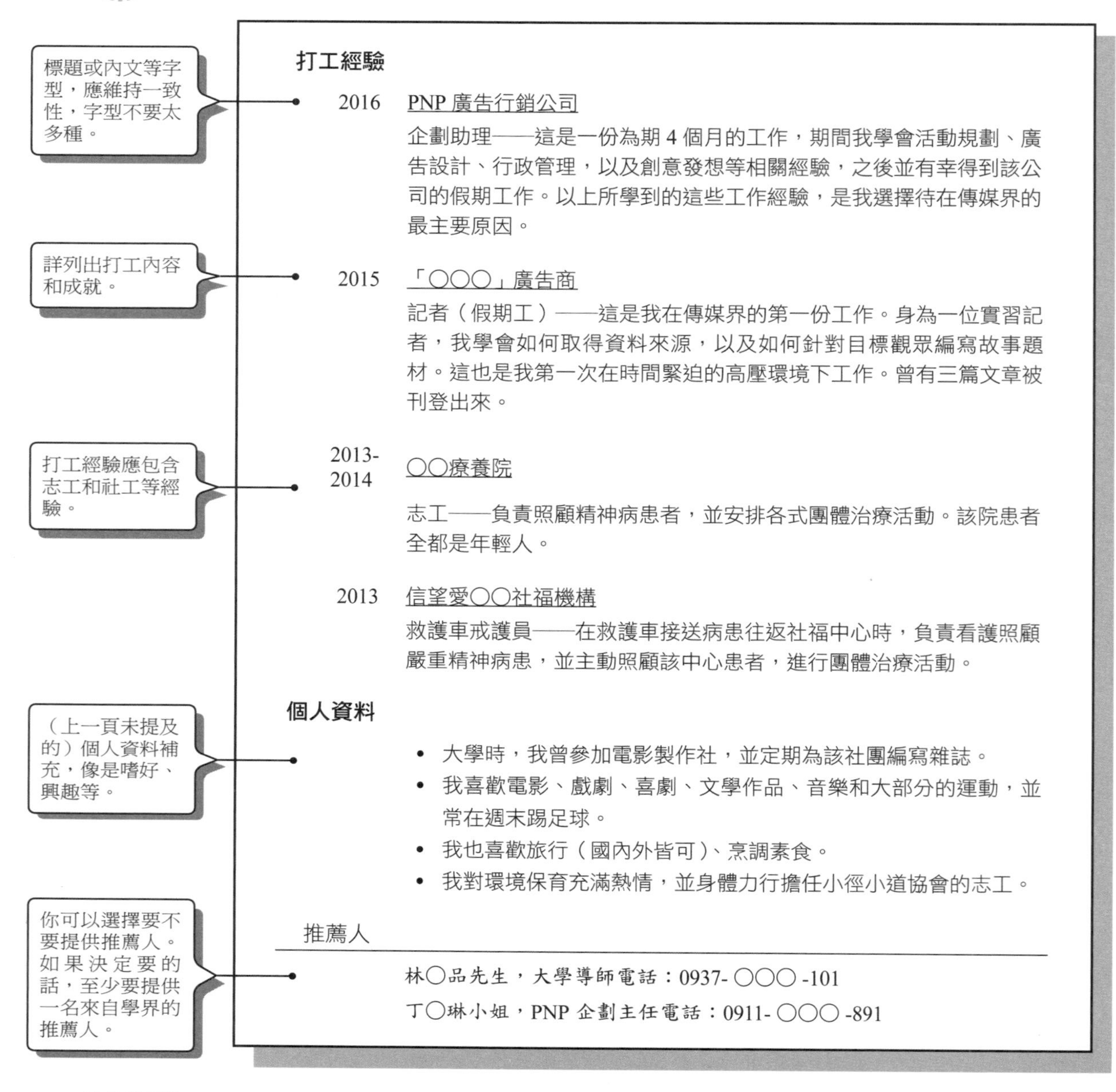


## 分組討論：

1. 每人帶完成的履歷紙本到場。
2. 4 人一組模擬人事小組。
3. 與鄰組交換四份履歷，選出一位來面試。
4. 面試主要請教履歷內容相關問題。

提問：

資料來源：許雅惠（主編）（2011）。**求職特訓班**。臺北：寂天出版社。

## 7-B-1 面試預備習作單

**說明：**

1. 接下來的學習單，為你大量精選出一些面試過程中，可能會被問及的問題類型。
2. 提供這些範例問題的目的，並不是為了要精確地命中題目，而是為了讓你習慣這些可能會面對到的問題類型。
3. 你要自己經常模擬思考，幫你對個人職業選擇更清楚。也可以針對這些類似問題做好準備，屆時才能做出周詳的回答。
4. 將你自己的想法，寫在學習單上的空白處，以供將來參考。
5. 不要死背這些題目或答案。要按照面試官想要獲得的訊息種類，將問題歸納成以下幾類，如下：

| | | |
|---|---|---|
| A | ▶ 開場白 | 第 1-3 題 |
| B | ▶ 關於你所應徵的職缺 | 第 4-7 題 |
| C | ▶ 你的領導風格 | 第 8-12 題 |
| D | ▶ 你的求學經歷 | 第 13-18 題 |
| E | ▶ 關於你這個人、你的做事態度和個人成就 | 第 19-24 題 |

面試問題：

## 模擬面試問題－學習單

### A. 開場白

| 〔可能被問到的問題〕 | 〔參考意見〕 |
|---|---|
| 1. ▶ 你好嗎？<br>▶ 到這裡一切順利嗎？<br>▶ 交通方面有問題嗎？<br>▶ How are you?<br>▶ Did you get here OK?<br>▶ Any difficulty with the traffic? | 面試官正以溫和的方式，帶你適應面試的環境。記得心存感激。 |

〔寫下你的回答〕

| | |
|---|---|
| 2. ▶ 簡單介紹一下你自己。<br>▶ Tell me a little bit about yourself. | 這是進入正題前的初步「暖身」。試著簡單扼要地說出你的個人資料，像是年紀、就讀學校、興趣、嗜好等。（就像你履歷上所記載的個人資料一樣） |

〔寫下你的回答〕

| | |
|---|---|
| 3. ▶ 你對我們公司有何瞭解？知道我們是做什麼的嗎？<br>▶ What do your know about our company and what we do? | 發揮你之前所做的研究，讓面試官知道你對這份工作和這家公司有多大的興趣。 |

〔寫下你的回答〕

## B. 關於你所應徵的職缺

| 〔可能被問到的問題〕 | 〔參考意見〕 |
|---|---|
| 4. ▶ 你是怎麼知道有這個職缺的？<br>▶ How did you hear about the vacancy? | 可以回答像是關係網、廣告、個人人脈、電話或書信詢問等管道。 |

〔寫下你的回答〕

| 〔可能被問到的問題〕 | 〔參考意見〕 |
|---|---|
| 5. ▶ 你覺得我們公司的主要經營目標是什麼？<br>▶ What do you think our main business objectives are? | 查詢他們公司的願景使命、評論報導以及相關網站，事前先想好要怎麼回答。 |

〔寫下你的回答〕

| 〔可能被問到的問題〕 | 〔參考意見〕 |
|---|---|
| 6. ▶ 你覺得你在學校的學習成就，對你應徵的這份工作有何幫助？<br>▶ How will your academic achievements assit you in the post you have applied for? | 說明你在學校所受的訓練，像是調查研究、批判性的分析、吸收訊息的能力，都是可以轉換運用到職場上的技能。不需要提你有哪些資格證照。 |

〔寫下你的回答〕

| 〔可能被問到的問題〕 | 〔參考意見〕 |
|---|---|
| 7. ▶ 你覺得你可以為我們公司帶來什麼樣的貢獻？<br>▶ What do you think you will contribute to the company? | 這是一個可以推銷自己和所長的機會，千萬不要低估自己。 |

〔寫下你的回答〕

## C. 你的領導風格

| 〔可能被問到的問題〕 | 〔參考意見〕 |
| --- | --- |
| 8. ▶ 你會怎麼形容自己的做事風格？<br>▶ How did you describe your work style? | 像是，你喜歡領導別人，還是從旁協助？是否喜歡全程掌控整個案子？喜歡調查研究，還是創意發想？小心，面試官可能會以角色扮演的方式測驗你。 |
| 〔寫下你的回答〕 | |
| 9. ▶ 你比較適合團隊合作，還是獨立作業？<br>▶ Do you work well in a team or do you prefer to work alone? | 注意，這個看似一般的問題，將和工作有絕對的關係。如果這份工作需要的是一名注重團隊精神的人，而你卻不是，那這份工作就不適合你。然而，也有許多工作需要的是獨立作業的能力。 |
| 〔寫下你的回答〕 | |
| 10. ▶ 請舉出一個你和他人合作愉快的經驗。<br>▶ Give me an example of where you have enjoyed working with other people. | 說出任何一個你曾參與的活動，期間你覺得整個團隊表現得非常好，而自己也非常樂在其中。 |
| 〔寫下你的回答〕 | |
| 11. ▶ 舉出一個你覺得和他人合作很困難的例子，以及你是如何處理的。<br>▶ Give me an example of a time when you found it difficult to work with others, and tell how you coped. | 說出任何一個你曾參與的團隊活動，期間團隊間產生了衝突，而你採取了哪些正面的方法，解決這個問題。 |
| 〔寫下你的回答〕 | |
| 12. ▶ 如果你有機會挑選組成一個工作團隊，你會挑選什麼樣的組員？<br>▶ If you were picking a team, what would you look for in the people you would want to select? | 想想看，你最想和哪些人一起共事，以及為什麼。你所描述的那些人，有可能具備和你最為相像的個性和能力。而這正是面試官想要知道的。回答這個問題時，記得要同時說出你認為的團隊成功因素，以及需具備哪些多樣性的技能。 |
| 〔寫下你的回答〕 | |

## D. 你的求學經歷

| 〔可能被問到的問題〕 | 〔參考意見〕 |
|---|---|
| 13. ▶ 你當初是如何選擇你所就讀的學校？<br>▶ What did you choose to go to college or university?<br>▶ How did you select the one attended? | 這個問題可以分成兩個部分。首先，面試官想要知道，在你決定接受高等教育之前，是否有考量過你將來想要從事的職業，或是其他讓你決定繼續深造的動機。第二，面試官想要知道你選擇這間學校的理由。 |
| 〔寫下你的回答〕 | |
| 14. ▶ 當你在學校念書時，有沒有參加過社團活動？<br>▶ What other activities did you pursue at college or university? | 面試官想要知道你如何安排你的時間，以及你是一名獨行俠，還是合群的人；是一名社交名流，還是一名老學究。 |
| 〔寫下你的回答〕 | |
| 15. ▶ 你覺得專科學院或大學的這段求學經歷，對你的發展有何幫助？<br>▶ How do you think college or university contributed to your development? | 說明這段經歷在你的個人發展中，佔有什麼樣的地位，面試官想知道你是否能從經歷中學到東西。 |
| 〔寫下你的回答〕 | |
| 16. ▶ 談談你學生生活時的甘與苦。<br>▶ What were the highs and lows of student life? | 這個問題你可以輕輕地帶過，因為學生生活就是要好好地享樂。 |
| 〔寫下你的回答〕 | |
| 17. ▶ 你最喜歡哪些科目？<br>▶ What subjects have you most enjoyed doing? | 據實以告，而不是說出你覺得對方想要聽的話，並說明喜歡的原因。 |
| 〔寫下你的回答〕 | |
| 18. ▶ 你目前有在上什麼課程，或接受某方面的訓練嗎？<br>▶ 有任何進修的計畫嗎？<br>▶ Are you currently undertaking any study or training?<br>▶ Do you have any plans for further study? | 這個問題是想要瞭解，你對於自我發展的進修意願。先進企業通常會資助員工進修發展，但前提是，你必須是個積極、願意奉獻個人時間的人。 |
| 〔寫下你的回答〕 | |

## E. 關於你這個人、你的做事態度和個人成就

| 〔可能被問到的問題〕 | 〔參考意見〕 |
|---|---|
| 19. ▶ 到目前為止，你有哪些主要成就？<br>▶ What have your main achievements been to date? | 別害羞，這是另一個推銷自己的機會。你可以舉出任何一個引以為傲的成就。 |
| 〔寫下你的回答〕 | |
| 20. ▶ 有沒有贏過任何獎項或獎品，或其他任何受表揚的成就？原因為何？<br>▶ Did you win any award, prize or other recognition of achievement, and what for? | 面試官想要知道，你有沒有其他方面的成就、特殊才能、或致力投入的事。 |
| 〔寫下你的回答〕 | |
| 21. ▶ 你身邊的朋友會如何形容你？<br>▶ How would a close friend or partner describe you? | 這個問題需要好好仔細地想一想，所以你必須事前先做好準備。當然，你一定要藉此機會凸顯出你的優點。 |
| 〔寫下你的回答〕 | |
| 22. ▶ 什麼原因會讓你變得消極？<br>▶ 而你又是如何處理這樣的情況？<br>▶ What de-motivates you?<br>▶ And how does that show in your attitudes? | 想想看，哪些事情曾經影響過你做事的熱忱，描述一下自己是如何克服這個負面的情緒。記得以正面態度做答。 |
| 〔寫下你的回答〕 | |

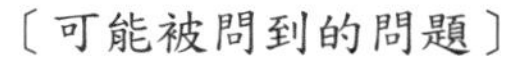


〔參考意見〕

23.
- ▶ 你覺得自己最大的優點是什麼？
- ▶ What do you consider to be your major strengths?

你可能有很多優點可以講，但想想看，哪些優點對你的求職有幫助，可以適用於你所應徵的那間公司。

〔寫下你的回答〕

24.
- ▶ 談談你自己最大的缺點。
- ▶ Describe your main weaknesses.

記得正面思考，別帶入負面的情緒。記住，有些缺點也可以是優點，例如：過於一絲不苟，有時甚至缺乏耐性（那是因為我想要把事情做好）等。談論自己的缺點時，要準備好說明你的改善方法。

〔寫下你的回答〕

資料來源：許雅惠（主編）(2011)。**求職特訓班**。臺北：寂天出版社。

# C 企業招募考量

## 7-C-1 企業招募員工優先考量

臺灣企業招募青年員工優先考量因素，依序為下列 1 至 12 項。企業還是最相信直接而準確的信息為評判依據，面試是最直接、最能立即瞭解應徵者的口語表達、溝通能力、組織能力及外表、技能表現等間接資料無法反應的內容。其次則是工作經驗所反應的考慮因素，確保員工能迅速投入工作職務，再者則是畢業的學校及科系等納入考量。

1. 面試的結果（包括：儀表、反應能力、生活觀、舉止應對、倫理道德觀、人際關係）。
2. 經驗（包括：工作及打工經驗、社團經驗、實習經驗、參與專業經驗等）。
3. 所學科系是否符合職務需要。
4. 畢業學校是否具有良好的聲譽。
5. 履歷內容的中肯與踏實。
6. 專業證照與能力的證明。
7. 接受公司測試（包括：性向測驗、應變測驗及專業測驗等）成績表現。
8. 外語能力。
9. 推薦人的受信賴程度與推薦內容。
10. 家庭背景。
11. 人脈及其他社會資源。
12. 委託專業（例如：人力銀行）提供篩選結果。

資料來源：張家春（2016）。從失業本質探討青年就業促進政策的有效性。**2016 年兩岸社會福利研討會—「人口變遷與社會福利：政策發展與實務創新」**發表之論文，財團法人中華文化社會福利事業基金會。

筆記與生涯奇想

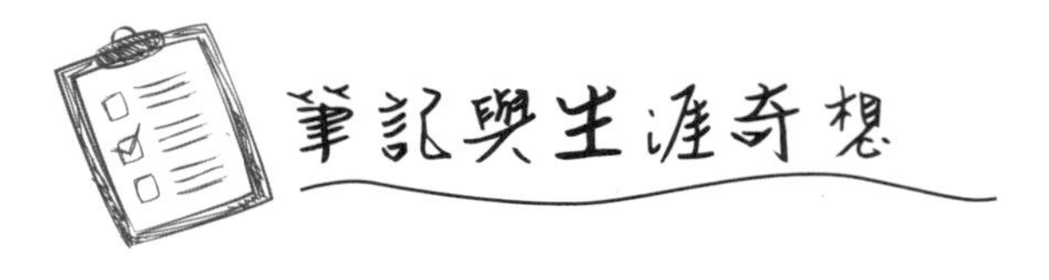
筆記與生涯奇想